U0134832

劍膽琴心

跨越兩個時代的六然居士楊肇嘉

蘇全正、林景淵 著

王志誠 主編

臺中市政府文化局　遠景 VISTA PUBLISHING

劍膽琴心
跨越兩個時代的六然居士楊肇嘉

—————————— CONTENTS

市長序
厚植臺中的在地文化　　　林佳龍

　　臺中位於臺灣南北交通的中點，氣候宜人，資源豐富，擁有良好的生活機能，更有優美的城市風景。多年來，我們積極活化市區，為市民打造一個生活的好所在，並且致力發展人文產業，為臺灣建立一座嶄新的文化城。

　　新臺灣國策智庫於 2018 年五月公布，臺中市是六都民眾心目中的最佳宜居城市，這是我們連續四次獲此殊榮，也是所有臺中市民努力的成果。除了推動城市建設，我們還要厚植在地文化，才能擁有豐富的精神生活，從「希望的臺中」邁向「進步的臺中」。

　　世界各地的重要城市都有自己的定位與特色，由文化局策畫出版的「臺中學」系列叢書，呈現出臺中市的獨特歷史脈絡和優質人文風貌，在 2016 年和 2017 年都受到文化界和學術界人士的關注與肯定。第一輯的主題包括臺中公園、林獻堂、葫蘆墩圳、清水及珍奶茶飲；第二輯的主題則有臺中火車站、第二市場、中央書局、天外天劇場及膠彩畫家林之助，充實的內容獲得各界的一致好評，

引領讀者們深入認識臺中在地文化。

　　今年出版的「臺中學」第三輯，延續先前的嚴謹製作流程，特別邀請文史學者深入描寫楊肇嘉、八仙山、霧峰、客家聚落大茅埔、后里馬場以及和平區的原住民聚落，林景淵、蘇全正、蔡金鼎、管雅菁、林德俊、陳介英、林慶弧、郭双富、鄭安睎，透過充滿溫度的文字敘述和精采的圖示，帶領讀者穿越時光隧道，探索先人走過的痕跡，進而瞭解這些珍貴的歷史文化，如何造就出臺中現今的多元樣貌。

　　臺中人文薈萃，是名副其實的希望之城，也是富於文化底蘊的城市，建立在共生、共榮、共好的基礎上。讓我們透過閱讀的力量，把希望變成進行式，在追求進步的同時，也要珍惜自身擁有的文化資產，才能培養深厚的文化內涵，然後穩定地邁向新的階段，創造出人本、永續、活力的臺中。臺中的改變，會帶領臺灣的改變；臺中的進步，也會帶來臺灣的進步。

局長序
擁有豐富內涵的城市

王志誠

　　臺中曾經是臺灣省城的所在地，其重要性不言可喻。臺中市的山、海、屯、城區開發，是一部生動的庶民墾荒史，值得我們深入研究，瞭解這塊土地的身世背景，才能產生情感連結，進而強化自我認同。

　　近年來，臺中市政府積極建構「臺中學」，讓社會大眾從自然、人文、歷史、地理等多方面的角度，廣泛認識這個擁有豐富文化內涵的城市。每一輯「臺中學」叢書皆是由專業的文史工作者執筆，選取能夠彰顯臺中特色的地景、人物和題材，呈現這座城市的不同風貌。透過這套書的內容，我們可以重溫百年來的城市風華，見證古時的純樸生活，檢視現在的繁榮進步，由此鑑往知來，讓臺中人更加珍惜自己擁有的一切。

　　延續第一輯與第二輯的內容規劃，第三輯「臺中學」選取臺中社運家楊肇嘉作為指標人物，由歷史學者蘇全正和林景淵執筆，《劍膽琴心：跨越兩個時代的六然居士楊肇嘉》介紹這位來自清水的仕紳如何投入民族運動、倡導地方自治。霧峰舊名「阿罩霧」，擁有美好的田園景致和優雅的藝文空間，作家林德俊（小熊老師）在《霧繞罩峰：阿罩霧的時光綠廊》詳述自己的老家如何成為引人入勝的文化小城。

　　為了讓「臺中學」的研究擴及大臺中全區域，我們前進后里，探索后里馬

場的建設經過與經營特色，由修平科技大學副教授林慶弧、臺灣文史學者郭双富寫成《奔騰年代：牧馬中樞的后里馬場》。八仙山是中部推廣森林環境教育的重要基地之一，《千面八面：八仙山的百年樣貌》作者蔡金鼎、管雅菁從事社區營造工作多年，書寫臺灣林業經濟發展的興衰，以及當地人士造林、育林的生活轉變，其中蘊含幾代人的共同回憶。

　　逢甲大學陳介英教授擅長經濟社會與文化發展的研究，《茅埔成庄：東勢大茅埔客庄的過去與未來》呈現出客家庄的傳統生活，包括族群的衝突與融合，也讓我們看到大茅埔的蛻變。和平區是臺中市轄域內唯一的直轄市山地原住民區，日治時期屬於臺中州東勢郡蕃地，縣市合併前為臺中縣和平鄉，臺中教育大學鄭安晞老師所寫的《願社平和：和平鄉原住民聚落》帶領我們瞭解泰雅族人在此地的生活樣貌。

　　「臺中學」系列叢書問世之後，屢屢榮獲文化部、國史館的獎勵推薦，2018 年更獲得金鼎獎優良出版品推薦，以及讀者們的多方肯定。我們希望透過「臺中學」系列，將臺中在地的各種人文薈萃知識進行交流，共同發掘這個城市的美好故事，並讓它們永續傳承下去。

推動「臺灣自治」史上第一人

日本求學

據吉野秀公《台灣教育史》（1927年）記載，日本統治時期，台灣青少年赴日本求學的，截止1911年為止，只有兩位數；1912年起有明顯增加，從260人，增加到1918年的248人。

「楊肇嘉」這個名字，在今日臺灣，似乎很少人知道了。其實以政治掛帥，對歷史、文化冷感（或無感）的臺灣大環境而言，楊肇嘉早在五〇年代就離開政治舞臺，因此一般人對他十分陌生。

楊肇嘉生長在日本統治時期，臺灣光復後因緣際會擔任了第一任民政廳長。日據時期，他鍥而不捨的從事「臺灣自治」的宣揚工作，這一段漫長的奮鬥史，背後乃是他「愛鄉愛土」的精神所在，值得慶幸的是，臺灣的第一次民選活動在他手中完成，這似乎應了臺灣話「天公疼憨人」的結局。

楊肇嘉由一名窮苦的「佃農之子」，因過繼給富人家做養子，搖身一變而得以赴日本求學，後來長期從事政治運動，也短暫經營過事業；不過他最大的成就應該就是「臺灣自治運動」的推動；他以一介平民，見過臺灣總督石塚英藏（1930年）、太田政弘（1931年）、南弘（1932年）、中川健藏（1934年）、伊澤多喜男（1937年，當時已卸任）以及日本首相齋藤實（1932年），這在日據時期似乎是少有的。更由於他曾就讀過日本早稻田大學，因此也親炙過日本學界大師：矢內原忠雄、大山郁夫、尾崎行雄、美濃部達吉……等錚錚之士，

這一點就有些特別，日本學者各自有獨立風格，多數人都排斥政客，證明楊肇嘉本人也有一定的知識水準。

楊肇嘉在就讀「牛罵頭公學校」時遇到校長岡村玉吉，愛才的岡村校長在 1907 年楊肇嘉畢業時，說服了楊家，將他帶到東京求學，完成商業學校（京華商業學校）教育，畢業後楊肇嘉返回老家清水，擔任過小學教師，還被指派擔任過「街長」（鎮長），他也加入「臺灣文化協會」，持續推動針對「臺灣自治」的請願運動。

豪氣萬丈的楊肇嘉不甘心只停留在高商畢業的學歷，1925 年，他攜家帶眷又前往日本，翌年考入早稻田大學專門部（三年制專科）的「政治經濟科」。開拓了他人生的另一個里程，而早稻田傳統學風的「在野精神」、「排斥官僚體制」也影響了楊肇嘉；早在他擔任小學教師時，便突破當時的教育當局限制，在清水開設公學校女學生班，也逐漸投入社會運動：如參加「臺灣文社」（蔡惠如、林幼春創立）、「東京臺灣青年會」（林獻堂等人籌設）以及「臺灣文化協會」，和後來「米穀問題」的請願活動。

1922 年，擔任「清水街長」的楊肇嘉赴日本考察，並參

早稻田大學

早稻田大學已創校一百三十年，全校各學院一直以「政治經濟學院」為最響亮的招牌。

加在東京召開的「東京臺灣青年會」，與林獻堂等人討論「設置臺灣議會」請願活動，返臺後他便付諸行動，一次一次透過演講活動，宣傳他們的理念；1928 年 2 月第九次請願活動，當時楊肇嘉是早稻田大學學生，舉家住在東京石川區武島町，便以楊宅為這項活動的聯絡處，這一次活動，臺灣來了蔡式穀、蔡培火、王受祿等人；1928 年 4 月，曾委請日本眾議會議員向國會提出在臺灣實施自治的議案；1929 年 6 月，更直接向首相（兼拓務大臣）田中義一提出「臺灣地方自治」的十五項要求，9 月又與林獻堂、蔣渭水向臺灣總督石塚英藏提出臺灣政治改革的要求；1930 年 3 月，第十一次請願活動規模較大，請願團帶著一千餘人的連署書向日本「帝國議會」正式提出，不過也就在這一年，楊肇嘉卻被迫退出原先是重要幹部的「臺灣民眾黨」，而專事推動「自治運動」的「自治聯盟」於 1930 年 8 月正式成立，楊肇嘉比較集中精力在「自治聯盟」，積極推動各種活動，分別面見臺灣總督石塚英藏、太田政弘、南弘，充分顯現其勇氣和魄力；1931 年 3 月，楊肇嘉舉家搬回臺灣，定居臺中市。

1933 年，楊肇嘉擔任「中部住民大會」議長，主要工作

也是推動「地方自治」任務；1934 年，臺灣總督府權衡當地民情而向日本政府提出一份〈臺灣地方自治改正案〉，但與楊肇嘉主張的理念相差甚遠，他便率團面見臺灣總督中川健藏，表達異議，這些努力終於在 1935 年 11 月出現了小小的成果，那就是總督府下令實施的「第一次市街庄議員選舉」（鄉鎮代表選舉）。

1950 年 1 月，楊肇嘉五十九歲這一年接替蔣渭川擔任民政廳長，這是楊肇嘉期待已久，也是努力了大半輩子想推行「臺灣自治」的大事業，於是他積極規劃第一次地方自治選舉，進行戶口普查、推動「三七五減租」政策，辦理地籍整理；1951 年 11 月，並辦理「臺灣省臨時省議會第一屆議員」選舉，1952 年 12 月，辦理「第二屆臺灣省縣市議員選舉」，在民政廳長任內，楊肇嘉實現了一部分他終生的奮鬥目標，也在臺灣光復後初期，對臺灣地方自治制度產生鉅大的貢獻。

生長於日本統治時期的楊肇嘉，畢生從事「臺灣自治」推動，並在自己手中完成了一部分，這背後固然是其「愛鄉愛土」的情懷，實更因為幼年「漢文」教育根植了民族氣節所致；身為臺灣人，與多數人不敢惹事，只顧自求多福的個

性不同，楊肇嘉具有高度智慧與道德勇氣，就以他出面擔保張光直（人類學家，白色恐怖時期犯刑），以及 1936 年 6 月 17 日，在臺中公園的公開活動，當時林獻堂遭受日本暴徒攻擊，身材魁梧的楊肇嘉立即抱住暴徒，免去一場災難，從這兩件事便可知道他的勇氣。

由於長期從事政治活動，楊肇嘉 1943 年 4 月，因赴大陸考察而被逮捕坐了十六天牢，1946 年 9 月，臺灣光復後更又坐了三十七天冤獄，然而這些挫折，對意志力堅定，具有既定理念的楊肇嘉而言，並沒有發生太大打擊；楊肇嘉的「臺灣自治運動」，本質就是梁啟超勸告臺灣人所謂「體制內的抗爭」，透過「地方自治」運動的訴求，喚醒臺灣人注意在日本統治下的不平等待遇，在楊肇嘉不斷努力下，最後終會改變臺灣人的追求平等自由的意識，正如同張炎憲教授所指出的：

雖然抗爭無具體成效，但臺灣人意識因之茁壯發展，臺灣人的追求逐漸成為改革社會的動力；這些抗爭雖被日本壓制於一時，但其潛力，有朝一日再起，勢必影響臺灣的發展。

　　在探討楊肇嘉的生平事蹟及貢獻時，不得不想起與楊肇嘉鄰鄉的一位特別人物——楊逸舟。

　　楊逸舟（1898 ～ 1987 年）梧棲人，同樣是窮人家出身，卻有輝煌的學經歷：

　　臺中師範畢業，文部省中學教師檢定合格、高中教師檢定合格，東京文理科大學（現筑波大學）畢業後又考入博士班，肄業。

　　楊逸舟赴中國大陸謀職，曾任汪政府教育部專員，中央大學、浙江大學教授，戰後隻身滯留東京，妻、女均離去，靠貧民救濟金以及貧民住宅過日，一個人在異國逝去。

　　細讀楊肇嘉的奮鬥史，或許更能凸顯他真是一位了不起的臺灣人。

楊逸舟

資料來源：楊逸舟遺稿、張良澤譯：《受難者》，前衛出版社，1990 年 12 月出版。

第一章 Chapter 1

翻轉時代，時也命也

從佃農之子變成地主的養子

中國北宋時期的宰相呂蒙正（946～1011年），字聖功，河南洛陽人，其作品《破窯賦》描述其一生際遇的寫照，提到「人有凌雲之志，非運不能騰達」、「人不得時，利運不通」、「人生在世，富貴不可捧，貧賤不可欺，乃天地循環，週而復始者」，主張一時的富貴或貧賤，「乃時也、運也、命也」。因此，從這個角度來看臺中的先賢前輩清水六然居主人楊肇嘉（1892～1976年）先生的一生轉折，是再恰當也不過。

楊肇嘉的原生家庭先輩是世居昔稱牛罵頭（今臺中市清水區）社口庄牛埔仔聚落（今臺中市清水區南社里），以從事農業佃耕為業，生父楊送並是社口庄的佃農，楊肇嘉本名楊番兒，家中兄弟姊妹有13人，他排行第7，因生父家計負擔甚重，遂於明治30年（1897年）將他過繼給社口楊家前清秀才楊澄若（1858～1924年）做養子，因養母陳氏春玉無子嗣之故，並改名為楊肇嘉，屬於楊姓譜系38字世系中「咸、舒、芳、克、紹、緒、基、奕、祚、皇」的「緒」字輩，在家族同輩中排行第三；楊家在當地可說是首富，加上重視教

育，因此楊肇嘉得以接受家學傳統的家塾教席薰陶，奠定漢學紮實基礎，他由清末的佃農小孩轉變為富家大族的子弟，改變他的人生，也改寫了那個時代的歷史，深深烙印在臺灣這塊土地上，令人尊敬與緬懷。

「牛罵頭」的地名源於當地是拍瀑拉族（Papora）牛罵社（Gomach）的傳統領域所在，而牛埔這個地方在一千多年前是西部清水隆起海岸平原靠海的地方，考古證據顯示金石並用時期的清水中社遺址文化人已在此居住生活。西元 17 世紀荷蘭據臺時期，至 1646 年 4 月 13 日，牛罵社已然名列社商之贌社區對象中，繳納贌社金額為 180 里耳，可視為荷蘭人統治該社之始。

而清代統稱土著聚落為番社，以有別於漢人聚落的「庄」，通常小社一社人數有二、三十人；大社有時二、三百人不等，也有多至千人者（如臺灣南部的西拉雅族社群），但為數不多。清代《彰化縣志 · 卷二規制志 · 街市》稱「郊野之民，群居萃處者，曰村莊，又曰草地。番民所居曰社。」清朝官方治理番社，採取將其與漢人隔離的政策；平埔族部落雖與漢庄錯居，位於里、堡範圍內，社人不能任

意進入漢庄，漢人也無法任意出入番社，社、庄互不相統屬，兩者管理系統不同。然而，法令上是禁者自禁，仍有進入番社耕番田、建造屋宇的漢人，而隨著漢人移民日多、無處不見漢庄的情況下，番社逐漸成為漢庄聚落群中被孤立的弱勢地區，彼此的緩衝空間日益減小。

大臺中地區「熟番」原住民部落因此受到漢人大肆移墾的影響，遂有二次向外大遷徙的行動，最早是嘉慶 9 年（1804 年），潘賢文率千餘人翻山越嶺遷往宜蘭羅東；第二次是道光 3 年（1823 年）後，陸續遷入今南投縣的埔里鎮，故埔里的許多舊名大都與大臺中地區的原住民社名有關，如大肚城、水裏城、烏牛欄、大馬僯、阿里史、日南、日北、雙寮、大湳等，少數未大規模遷徙者如牛罵社、沙轆社其族裔仍居住於清水區、沙鹿區。

牛罵頭地區最初有廣東饒平客家人來此開庄，其後在雍正 9 年、10 年（1731 ～ 1732 年），牛罵社、沙轆社因參加道卡斯族大甲西社林武力抗清事件被平定，分別被改稱為感恩社、遷善社，勢力衰退後湧入大量漢人移墾，並以福建省泉州的安溪、同安、三邑（南安、晉江、惠安）等縣移民為主，

資料來源：清水紫雲巖
內之乾隆 43 年（1778
年）感恩社民番業佃諭
示碑。（蘇全正／提供）

向牛罵社、沙轆社承瞨土地耕作，至遲在1778年已建立秀水、橋頭、社口、上湳、三座、田寮、山下、青埔、客庄、后庄、水碓、下湳、碑頭等13個村莊。而社口庄牛埔仔聚落是介於平埔族沙轆社與牛罵社社域部分重疊的交界處，屬於遷善北社地權大約在西元18世紀末，成為漢人入墾後放牧牛隻的草埔地，而這地方正是楊肇嘉誕生的地方。

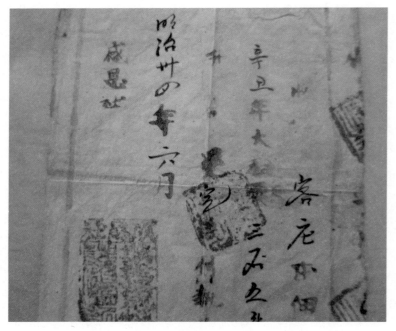

明治34年（1901年）清水客庄漢人佃農繳交租谷給感恩社的執照。（蘇全正／提供）

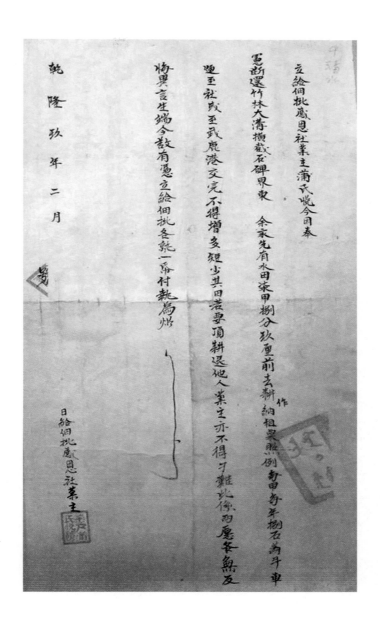

立給佃批感恩社業主蒲氏悦今因奉

憲斷還竹林大溝攔截石碑界東　余家先有水田茶甲捌分玖厘前去耕　作　納租眾照例新田每年捌石為斗車

遞至社成至武鹿港交完不得增多短少其田若要頂耕退他人業主亦不得刁難此係兩愿各無反

悔異言生端今敢有憑立給佃批冬就一爭付執為炤

乾隆玖年二月

日給佃批感恩社業主蒲氏悦

乾隆9年（1744年）《立給佃批感恩社業主蒲氏悦契字》。（郭双富／提供）

23

　　而「清水」的地名則是大正 9 年（1920 年）日本殖民時期官方實施市街改正，以 1895 年北白川宮能久親王率軍南下，曾寓居蔡家伯仲樓，喝過當地埤仔口（今清水區大街路臺灣省自來水公司清水營業所前）的湧泉，對泉水甘美稱讚不已，譽為「靈泉」，地方人士遂建議將牛罵頭改稱為清水，並沿用至今。另有一說是楊肇嘉被派任當街長前，向日本當局建議的結果。（參見 1926 年臺中州大甲郡《臺灣在籍漢民族鄉貫別調查》表）根據上表昭和元年（1926 年）的漢人祖籍別調查資料，大約可看到海岸平原區至日治中期仍以福建泉州府籍的移民為多，其中又以三邑人居多，所以呈現出中部海線地區特有的「海口腔」語調。

1926 年臺灣在籍漢民族鄉貫別人口

街庄區別	福建省							廣東省			其他	合計
	泉州府			漳州府	汀州府	福州府	永春州	潮州府	嘉應州	惠州府		
台中州大甲郡	安溪	同安	三邑（惠安、南安、晉江）									
清水街	5,500	7,400	13,200	200	0	0	0	0	0	0	0	26,300
梧棲街	2,900	3,500	5,300	0	0	0	0	0	0	0	100	11,800
大甲街	1,500	5,800	9,300	1,400	0	0	300	0	0	300	0	18,600
外埔庄	200	2,400	1,500	200	200	0	0	600	1,100	400	700	7,300
大安庄	200	1,500	5,100	0	0	0	1,600	0	0	0	0	8,400
沙鹿庄	1,500	2,800	10,400	0	0	0	0	0	0	0	0	14,700
龍井庄	0	3,300	5,000	4,600	0	0	0	0	0	0	0	12,900
大肚庄	100	1,600	0	7,800	0	0	0	0	0	0	0	9,500
小計	11,900	28,300	49,800	14,200	200	0	1,900	600	1,100	700	800	109,500

資料來源：整理自臺灣總督官房調查課編，《臺灣在籍漢民族鄉貫別調查》，1926 年，頁 16-17。

臺中州大甲郡管內圖。（蘇全正／提供）

臺中市清水區公所。（引自：http://www.qingshui.taichung.gov.tw/，搜尋日期：2018 年 8 月 1 日）

日籍校長慧眼識英才，赴日求學開拓視野

　　明治 30 年（1897 年）楊肇嘉過繼到楊家後，先受教於楊煥章和王則修兩位老師的漢文啟蒙教育；明治 34 年（1901 年），楊肇嘉進入牛罵頭公學校（今清水國民小學）就讀，

1930 年代清水公學校師生合影。（蘇全正／提供）

日籍校長岡村玉吉見其聰慧，於是說服其養父楊澄若同意畢業後將他帶往日本念書；明治 41 年（1908 年）3 月，隨岡村校長赴日，先入學於日本東京黑田高等小學校就讀；明治 42 年（1909 年），黑田高等小學校畢業後，再入東京市京華商業學校就讀。翌年與堂兄楊緒州等人在東京市租屋合住，至明治 45 年（1912 年），與堂兄等各自發展，楊肇嘉則準備報考高等學校。大正 2 年（1913 年），參加該校學友會舉辦的珠算比賽得到冠軍，初次展現才華，同年 7 月，利用暑假返臺的機會，向養父楊澄若表達繼續升學的願望，但遭養父拒絕和斷絕後續經費支援，但楊肇嘉不放棄，只好黯然返日，並在東京找工作打工，以支應生活上的開銷。

其實在他過繼到楊家之後的第二年和第四年，楊澄若的側室黃氏吉分別產下二子，長男天錫、次男天賦，同樣都得栽培和花費，這時楊肇嘉也已是二十二歲的青年，養父當然希望他畢業後盡速返臺幫忙經營家族事業。8 月，楊肇嘉撰寫〈商品的魔性及其價值〉一文首度在《中國實業》雜誌上發表，初展治學身手。由於在日本念書求學的難得機會，逐漸擴展他的視野，奠定日後恢弘格局、胸襟及眼界，對於事

1908 年楊肇嘉赴日前及赴日後（右下角）照片。（清水六然居楊肇嘉留真集，林景淵／提供）

1909 年，穿著中學生制服的楊肇嘉（右站立者）。（清水六然居楊肇嘉留真集，林景淵／提供）

1914 年，楊肇嘉自「京華商業學校」畢業時留影。（清水六然居楊肇嘉留真集，林景淵／提供）

情的觀察和處理，不再侷限於臺灣本身的思考，更充分反映在 1930 年代，反對限制臺灣、朝鮮的稻米輸日的「米穀統制案」上。1913 年 12 月，楊肇嘉奉養父之命，回臺結婚，對象是與他同年齡的埧雅區下橫山庄（今臺中市大雅區下橫山）張鵬飛長女張碧雲（1892 ～ 1966 年），也成為陪伴他一生經歷無數波折、海內外奔波，始終在背後默默支持的賢內助，而楊肇嘉對這段媒妁婚姻堅定的從一而終，相較於同時代的名人、富豪不乏三妻四妾者，更凸顯他的志節操守、言行義氣，均能表裡如一的人格者。

從教職、公職回歸爸爸學生的大學之路

婚後重返日本繼續未完成的學業，於大正 3 年（1914 年）3 月畢業後，短暫停留在東京工作約半年，在中日交通會擔任「大正博覽會」的漢文嚮導，接待中華民國官員，因此結識陸宗輿公使等人，也應邀參與其投稿過的《中國實業》雜誌

編務，並經日人介紹會見因廣東革命失敗後，輾轉經臺灣再到日本寓居的孫文（1866～1925年）。當年10月返臺，任職於母校牛罵頭公學校擔任雇員，兼四年級老師和年級主任，積極熱心提倡學風，為學生做課後補習，鼓勵升學，並集合失學的青少年開設講習班。而這一年霧峰林家林獻堂（1881～1956年）、林烈堂（1876～1947年）、鹿港辜顯榮（1866～1937年）等全臺重要仕紳、名望家，合力捐款創辦專收臺灣人子弟的臺中州立臺中第一中學校（今臺中一中），楊肇嘉的養父楊澄若也名列捐款人之一，同心齊力為臺灣子弟作育英才而奉獻，這是臺灣教育發展史上的重要里程碑。

大正5年（1916年），楊肇嘉參加甄試通過，陞任為學校訓導，可正式穿上黑色文官服。大正7年，其鑒於女子教育的重要性，計畫開辦牛罵頭公學校女生班，並獲得日人豐島清一校長的支持，於是正式向臺中廳學務課提出申請和備案，得到許可後，開始招收適齡女學生入學，楊肇嘉自己兼任級任導師，開風氣之先，推動清水地區劃時代的女子教育事業，顯見其重視教育的識見和貢獻。

大正8年（1919年），楊肇嘉通過臺灣公學校「商業科」

專科之「教諭」檢定合格，成為當時臺中地區少數升任教諭資格的臺籍教師，也大幅提升其在當地的社會地位和影響力，尤其當養父楊澄若在大正 6 年（1917 年），被日本殖民官方派任為牛罵頭區長，實際上即由楊肇嘉代理區長的工作和負責涉外事務，歷經二年地方殖民行政的代理經驗，奠定他為人處事敏捷練達，深刻體會到臺灣人在殖民統治下的艱難處境，對日後投入臺灣民族運動有著極為重要的啟發經驗和效應；在教諭檢定合格後，他隨即辭去公學校教職，以便全心全力投入代理區長和服務民眾的工作。

1913 年，楊肇嘉（坐者右二）與同學們合影。（清水六然居楊肇嘉留真集，林景淵／提供）

1917 年，擔任「公學校」教師，穿著官服的楊肇嘉。（清水六然居楊肇嘉留真集，林景淵／提供）

　　大正 9 年（1920 年），日本官方實施臺灣第九次地方制度改正，楊肇嘉被日本派任為地方改制後的第一任臺中州大甲郡清水街街長，卻也因州郡官員的監督和干涉，及官選的街協議會議員處處制肘，難以大刀闊斧推展街政，所以自嘲是「傀儡街長」。1922 年藉赴日考察日本模範村的機會，應邀參加在東京的臺灣青年會年會，與正在日本的林獻堂談及臺灣議會設置運動，從此加入請願行列。翌年（1923 年）擔任臺灣文化協會評議員，同年 3 月 16 日，發生「治警事件」，蔣渭水等 29 名臺灣議會設置期成同盟會成員遭逮捕，楊肇嘉亦被日警約談。

　　大正 13 年（1924 年），楊肇嘉應蔡惠如的邀請，在還具街長身分和公職任內，公開參與推動臺灣議會設置的巡迴演講活動，並由臺灣文化協會評議員轉任為核心成員的理事，9 月，其官派清水街長任期屆滿，日方並未續派讓他連任，10 月初，清水街民於當地 53 庄信仰中心紫雲巖觀音廟前舉辦盛大的惜別會歡送他卸任，並致贈「清水為心」匾額至社口楊家，感謝他為民服務的熱忱和貢獻，10 月 10 日，養父楊澄若逝世，楊肇嘉的人生也邁向新的發展階段。

楊肇嘉在擔任教職、實質代理區長及正式出任公職期間，展現其勇於任事，謀求鄉民福祉的大公無私，甚至不避嫌忌，公開參與臺灣議會設置期成同盟會請願行動與臺灣文化協會在臺灣各地舉辦的演講、宣傳等活動，早已踩到殖民官方的紅線，被視為頭痛人物和眼中釘，但也因他熟悉殖民行政事務，在地方聲望日隆，具有相當影響力。所以，日警幾次取締或檢肅抗日文化行動中才未貿然拘提楊肇嘉，而對付他的最佳方式就是清水街長任期屆滿後，就不再指派續任，切斷他在地方殖民行政中的職權，回歸常民身分，較能約束或懲治楊氏，而沒有過多顧忌。對楊肇嘉個人而言，辭卸公職就無需再忍受日人在行政事務上的干預和屈辱，另一方面，養父辭世後，傳統上家族父權的約束解除，家產鬮分後經濟獨立自主，成為他沉潛磨練已久，蓄勢等待的新發展契機。

鋒芒初露，敢向強權爭主權

大正 14 年（1925 年）2 月，第 6 次臺灣議會設置請願代表團出發赴日，這是楊肇嘉辭卸公職後，也是治警事件後參與該期成同盟重整出發的重要行動，由於治警事件審判過程

1925 年「臺灣文化協會講演團」合影於新竹，前排坐者：楊肇嘉（左三）、林獻堂（左四）、蔡惠如（左五）。（清水六然居楊肇嘉留真集，林景淵／提供）

中，引起日本國會議員的聲援和日籍律師來臺為被逮捕的被告辯護，反而使得臺灣議會設置請願運動取得正當合法性，這是臺灣總督府始料未及的發展。因此，楊肇嘉成為請願代表團 4 名成員之一，其他成員包括林獻堂（1881～1956 年）、葉榮鐘（1900～1978 年）、邱德金（1893～1972 年），向東京第 50 回帝國議會再度提出請願案，而楊肇嘉是這次請願團活動力表現最活躍者。請願代表團返臺後，又投入臺灣文化協會講演團在臺灣各地舉辦的巡迴演講，向民眾說明在東

京請願的過程和成果。楊肇嘉在巡迴演講結束後回到清水，馬上就被殖民當局派人約談，同年 8 月，其四子出生，10 月決定暫時先離開臺灣，舉家遷居到東京定居，並實現其就讀大學的夙願。

1926 年 4 月，楊肇嘉考入早稻田大學專門部政治經濟學科就讀，成為同學口中的「爸爸學生」；他在旅日期間仍從事協助臺灣議會設置請願運動。如同年 1 月第 7 次臺灣議會設置請願代表團赴日，途經橫濱時，楊肇嘉與橫濱臺灣人會的青年學生在此歡迎請願代表團的蔡年亨（1889～1944 年）、蔡培火（1889～1983 年）、陳逢源（1893～1982 年）等人，乘坐吉普車遊行以壯聲勢，再轉往東京，楊肇嘉即以臺灣議會設置期成同盟旅日同志身分協助請願活動。

新民報社本舖遷移紀念獅紐圓座銅文鎮。
（蘇全正／典藏）

而其在早稻田大學上課期間，曾因對教授「殖民地統治」課程老師的主張不滿，憤而撰文批評該教授《殖民地統治論》的論點和主張，

並尋求對臺較為友善的學者、眾議院議員等協助臺灣赴日青年進入各校就讀的安排。因此，昭和 2 年（1927 年），楊肇嘉獲推選為東京新民會常務理事，負責主持會務工作，不過島內的臺灣文化協會此時也因左傾而正式分裂，同年 7 月，蔡培火（1889～1983 年）、蔣渭水（1891～1931 年）、林獻堂（1881～1956 年）等人遂在臺中市另外正式創立臺灣民眾黨。

翌年，第 9 次臺灣議會設置請願代表團蔡培火（1889～1983 年）、蔡式穀（1884～1951 年）等抵日，即以楊肇嘉在東京的住處為聯絡辦事處，並在自宅成立臺灣問題研究會，自任為代表人，出版蔡培火所撰寫的《與日本國民書》，同時也完成《臺灣地方自治建議案》，經 30 餘人聯署後委託眾議院議員清瀨一郎、神田正雄協助提案。其後又在東京發表〈臺灣地方自治制度〉乙文，收入東京新民會出版的《臺灣地方自治問題》書中，展現其對臺灣地方自治的主張和行動方針。

昭和 4 年（1929 年）1 月，楊肇嘉在自宅舉行東京新民會的新年會，邀請到 1927 年曾至臺灣進行調查旅行，並

以尊重人權，批判日本殖民政策聞名的經濟學家矢內原忠雄（1893～1961年）蒞臨演講；不久臺灣新民報社股份公司成立，楊肇嘉擔任監察役（按監事）。同年3月，楊氏自早稻田大學專門部政治經濟學科畢業後，轉任為臺灣新民報社股份公司的取締役（按董事）。5月，驚聞同鄉民族運動前輩蔡惠如在臺過世，有情有義的他即刻束裝趕回臺灣，並擔任蔡氏治喪委員會主任委員，事畢後又風塵僕僕趕回東京，於當年6月向日本首相兼拓務大臣田中義一提出臺灣地方自治的15項要求，並尋求日本國內各大政黨的響應支持和輿論的聲援。7月，偕同臺灣新民報主筆林呈祿（1887～1967年）拜訪新任拓務大臣松田源治就臺灣統治上的問題交換意見。9月，返臺後邀林獻堂北上與蔣渭水等人商討，擬定臺灣政治改革意見書，隨後向新任臺灣總督石塚英藏（1866～1942年）提出改革訴求。11月，楊肇嘉獲臺灣民眾黨中央執行委員會推薦，出任該黨中央執行委員。

昭和5年（1930年）1月，楊肇嘉與蔡培火赴東京國際聯盟協會的鴉片委員會，希望能在會中發言阻止臺灣總督府續發吸食鴉片執照，但未能如願。2月，國際聯盟協會鴉片委

員會派員來臺調查臺灣總督府
鴉片管理政策實施情形。3 月，
林獻堂、蔡式穀、蔣渭水等在
臺北市與國際聯盟協會鴉片委
員會調查人員會面，陳述對臺
灣鴉片問題的看法。楊肇嘉則
在東京奔走籌備第 11 次議會
設置請願事宜，獲得千餘人聯
署，並委請友臺議員於帝國議
會協助提案。4 月，東京新民

1931 年，在「臺灣自治聯盟本部」前合影，前排中坐者是曾任「臺灣
總督府民政長官」的下村宏，屬臺灣同情派的日本人，楊肇嘉在二排
左五，林獻堂在前排坐者左一。（清水六然居楊肇嘉留真集，林景淵
／提供）

會出版《臺灣鴉片問題》一書，反對臺灣總督府續發吸食鴉
片執照，並將該書郵寄國際聯盟參考。此時楊肇嘉接獲以林
獻堂為首的 20 多位社會運動領袖連署，函請其盡速返臺領導
臺灣地方自治運動。

　　遂於 6 月與蔡培火一起返抵臺灣，此時，臺灣民眾黨中
常會議決通過，欲請楊肇嘉擔任委員長，但為他所辭謝。隨
之，臺灣民眾黨通過禁止黨員跨黨派參加地方自治聯盟，楊
肇嘉遂於 7 月宣布自動退出臺灣民眾黨。8 月 17 日，與左派

人士把持的臺灣民眾黨分道揚鑣後，楊肇嘉、林獻堂、蔡式穀等人創立臺灣地方自治聯盟，係以實現臺灣地方自治為主要目標的政治團體，會員達 370 餘人，實際上是以楊肇嘉為領導人。

歷經多年努力交涉下，1934 年，臺灣地方自治聯盟以放棄臺灣議會設置請願運動的退讓方式，始獲得臺灣總督府對該聯盟有關地方自治訴求的回應，並於昭和 10 年（1935 年）在臺舉辦有限度條件的第一次地方自治選舉，雖經楊肇嘉等人抗議要求全面採行普選方式終不可得，惟經該聯盟推薦的候選人竟有 11 人當選，取得初步亮眼的成績，至 1937 年因中日戰爭爆發，政治局勢丕變，臺灣總督府對於社會團體的各項運動，控制日益嚴峻，該聯盟遂自動宣布解散。

楊肇嘉遷居日本東京期間（1925 ～ 1930 年）對於臺灣地方自治運動的推動

1934 年，「臺灣地方自治聯盟」理事，在總督府前合影，楊肇嘉在二排左三。（清水六然居楊肇嘉留真集，林景淵／提供）

勞心勞力，且躬身力行，展現其過人的膽識、卓越的政治觀與不慍不火的柔軟身段，獲致的成果和影響亦為人所望塵莫及，使得其在島內外的能見度和社會聲望如日中天，儼然成為各方勢力爭取的新盟主。惟 1937 年局勢驟變，臺灣地方自治聯盟宣告解散後，楊肇嘉持續為米穀管理法案和臺灣前途奔走，而其處境也日趨艱難，只好出走至中國，落腳上海定居和經商，直至第二次世界大戰結束後才返臺。

臺灣獅吼，雄震東瀛——臺灣米穀移出管理法案反對運動

緣於日本本土生產的稻米自給率不足，每年缺額可達 800 至 900 萬石之多，因此，需要自殖民地臺灣和朝鮮二地輸入，以填補食用米的不足，臺灣稻米的輸日對農民而言是一筆相當重要的家庭收入，不料 1930 ～ 1931 年，日本本土的稻米卻連續大豐收，但來自臺灣、朝鮮的米仍持續輸入，造成米價暴跌，直接衝擊到日本國內農民的收入和生計，所以出現反對外地米輸入許可的聲浪，當然引發臺灣、朝鮮的米穀商、農民的連年抗議，加上日本國內農民與米穀買賣業者

立場、利益相左，反而臺灣、朝鮮的米穀商與日本的米穀買賣業者因利益一致而聯手反對限制，此外日本政府機關之間意見和立場也不一致，而帝國議會的議員之間也因來自城市與農業選區的不同，彼此看法相互歧異，所以，稻米管制進口問題一直未能得到有效的共識，每年議會提案也未能討論通過，臺灣、朝鮮的稻農生計暫時得以渡過。

其實早在昭和 8 年（1933 年）開始，臺灣總督府即著手臺灣米穀輸出管理法案的研訂問題，但受限於帝國議會對米穀管制案的議事討論一直處於不利的情形下，臺灣總督府並未積極運作和遊說，而臺灣許多傳統大家族的經濟基礎多數是仰賴土地農作收益為主，米穀管制案對其等衝擊甚鉅，因此這些大家族和米穀商組成「臺灣米穀輸日限制反對同盟會」，核心成員計有 45 人，共同推舉霧峰林家的林獻堂擔任請願總代表，並連續幾年組

楊肇嘉全家福。（清水六然居楊肇嘉留真集，林景淵／提供）

團遠赴東京請願和交涉。

　　昭和 10 年（1935 年）1 月 23 日，臺灣米擁護協會於幹事會議時議決，選派楊肇嘉、蘇泰山、貝山美好三人為代表，赴東京陳情；2 月 8 日，楊肇嘉出席日本全國米穀販賣組合聯合會，並在大會上發表演說，力陳米管案之不當，並在東京錄製《我的希望》臺語演講；3 月，代表米穀統制法案反對委員會出席日本全國代表者會議，並發表演說，阻止了「米穀統制法案」的通過，因此日本的新聞界和政界以「臺灣獅子」稱呼他；4 月，返臺後於《臺灣新民報》發表〈米戰之跡〉一文，說明米穀案抗爭過程；4 月 21 日，清晨 6 點多臺灣中部發生芮氏規模 7.1 級的新竹州、臺中州大地震，清水街災情慘重，社口楊宅建築群受到震損，但家眷人員都平安，因當天楊家有喜事，楊肇嘉的二哥楊緒助次子娶媳，家族的人在大清早都已起床之故。楊肇嘉隨即投入救災，包括號召醫界朋友八人組成慰問診療團，提供災區民眾的診療、災民臨時收容所設置、罹難者遺體收埋協助等，並走訪災區了解災情、慰問災民、發放物資救濟及協助街役場進行災情調查、復原等工作；5 月 17 日，應《臺灣新民報》的邀稿，撰寫〈震災記〉

發表，展現其捨己為人、急公好義、悲天憫人的胸懷，災區復建事務告一段落後，他又趕回東京繼續關心民族運動及米穀案的發展。

至昭和 12 年（1937 年），臺灣總督府轉為積極擬訂「臺灣米穀輸出管理法案」，目的在抑制米價，即將由臺灣輸出到日本的稻穀，以遠低於時價的低廉價格收購後，運到日本

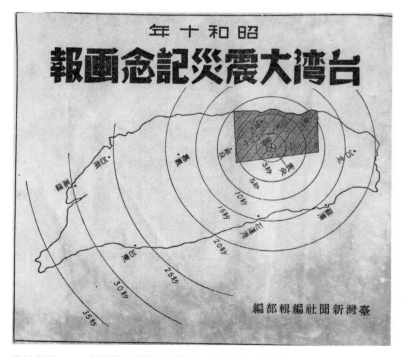

資料來源：1935 年臺灣大震災紀念畫報。（蘇全正／提供）

1937 年落成之六然居。（清水六然居楊肇嘉留真集，林景淵／提供）

1935 年，楊肇嘉與李石樵（右）合影於臺中圖書館（現自由路合作金庫）。（清水六然居楊肇嘉留真集，林景淵／提供）

高雄聞人陳啟清（左一）、陳啟川（右一）等人來訪，楊肇嘉（右二）在門口與客人合影。（清水六然居楊肇嘉留真集，林景淵／提供）

後再以時價售出，但稻穀的收購價格並未得到法令的保障，將使農民和米穀買賣業者蒙受重大的損失，但組團請願的活動隨著同年中日「七七事變」爆發後，對於臺灣內部的管控趨於嚴格限制而無法如願申請，因此，請願運動只好委託在

東京的臺灣人全權代表，當時，就以在東京較為活躍的楊肇嘉、吳三連（1899～1988年）、劉明電（1901～1978年）三人為代表，號稱「米管案三勇士」。他們是藉由曾任臺灣總督的伊澤多喜男（1869～1949年），也同情吳三連所提反對米穀管理案，以伊澤在東京豐沛的政治人脈，遂行在日本的政治活動。吳三連以記者身分負責打探消息和蒐集資料，再交由楊肇嘉撰成 2 萬 5 千餘字的〈臺灣米穀輸出管理法案威脅戰時的糧食政策〉長文，凸顯立案動機與增產本土米穀計畫之間的矛盾性而受到矚目。

此舉也觸怒了執政當局，不久報紙出現指摘楊肇嘉、吳三連從事反政府運動應予嚴懲的斗大標題，翌年（1938 年）1 月，臺灣總督府施壓東京警視廳拘捕蔡培火、吳三連，理由是蔡氏被控有反軍思想，吳氏則因與中國間諜賴貴富有來往，後來經由楊肇嘉、林獻堂極力奔走營救，二人才先後被釋放；吳三連獲釋後更加積極推動反對米穀管制案，並親自撰寫《臺灣米穀政策的檢討》，內容批評臺灣總督府利用戰時體制壓榨臺灣農民，交由岩波書店出版，分送參、眾兩院議員及政界人士，但旋即被禁止印行。吳三連遂再以日人名義，把原

書內容再加上其他批評臺灣米穀管制案的文章彙編起來，改書名為《長期建設與農業政策》，圖文並茂吸引更多人閱讀，再度觸怒臺灣總督府，轉而直接向臺灣新民報社施壓，終於在昭和 15 年（1940 年）解除其新民報東京分社長職務，吳三連和楊肇嘉被迫先後離開東京，前往中國華北、華南生活；至於臺灣米穀管制案最終在農林省的同意下，獲得第 73 屆帝國議會審查通過立案，隨著戰局的擴大，糧食問題日益嚴重，糧價最後還是納入戰時統制經濟的管制，甚至戰爭末期還進一步實施糧食配給制度，臺灣總督府的如意算盤終究是一場空，而這也都是楊肇嘉、吳三連所努力影響下的結果。

第二章 Chapter 2

省政浮沉，老驥伏櫪

日治時期從事臺灣民族運動的人物，很少有人像楊肇嘉那般從容地在戰後臺灣政壇立足和具相當影響力，尤其難得他不是在新政權的威權下求官或趨炎附勢，而是以真性情、勇於任事、公正無私的態度得到尊重與任用。

政壇浮沉：從省府委員、民政廳長，再到國策顧問

民國 36 年（1947 年）12 月，楊肇嘉攜家眷回到臺灣。民國 38 年（1949 年）11 月，應新上任的臺灣省政府主席兼保安司令、行政院政務委員的吳國楨（1903 ～ 1984 年）聘請，擔任臺灣省政府委員，負責發布新的兵員徵集令，處理有關新兵徵集的業務。翌年（1950 年）1 月，奉派接替蔣渭川（1896 ～ 1975 年）擔任臺灣省政府民政廳廳長，這一年他先制定「臺灣省節約救國有獎儲蓄券」發行和銷售辦法，藉此籌款以建造營舍，安置軍隊避免占用學校校舍，阻止軍方在西部平原地區挖掘軍事用壕溝，以免影響農業耕種、妨礙糧食生產。接著主持戰後第一次地方自治選舉的規畫與執行，並親自為此次選舉撰寫《告

全省同胞書》，同時奉派為本次縣市選舉的選舉監督；又
負責辦理臺灣省各縣市行政區調整方案的規畫執行，將臺
灣行政區調整為五個省轄市及十六個縣；也接續辦理全省
戶口總校正計畫和戶政改革推動，尤其在 11 月，為協助
行政院長陳誠推動「375 減租」與「耕者有其田」政策，
親自出面調解土地業主與佃農之間的糾紛，辦事效能備受
矚目與肯定。

資料來源：民國 40 年秋字第 4 期《臺灣省政府公報‧民政廳代電關於行政區域
調整後遷徙人口本籍變更通報及處理手續案》公文。（蘇全正／提供）

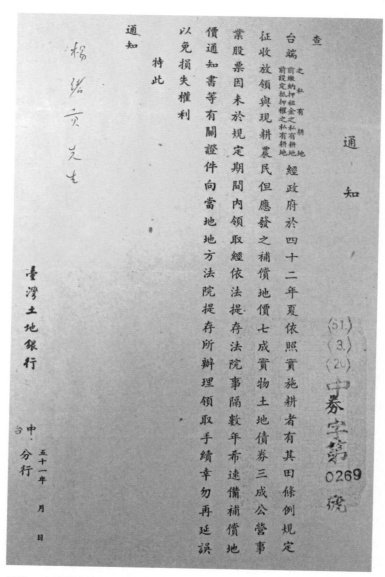

通　知

查

台端之私有耕地

前繳納押租金之私有耕地

前設定抵押權之私有耕地

經政府於四十二年夏依照實施耕者有其田條例規定

征收放領與現耕農民但應發之補償地價七成實物土地債券三成公營事

業股票因未於規定期間內領取經依法提存法院事隔數年希速備補償地

價通知書等有關證件向當地地方法院提存所辦理領取手續幸勿再延誤

以免損失權利

特此

通知

臺灣土地銀行

台中分行

中　華　民　國　五十一年　　月　　日

楊肇嘉先生

（51.）（3.）（20）

中券字第0269號

民國 51 年臺灣土地銀行通知盡速向提存法院辦理依民國 42 年《耕者有其田條例》補償地價之領取手續。（蘇全正／提供）

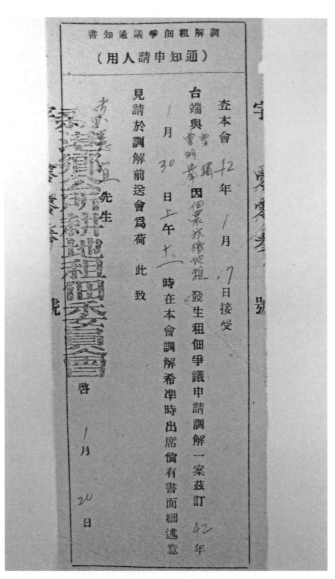

調解租佃議爭通知書

（通知申請人用）

查本會 42 年 1 月 17 日接受

台端與曾明舉因佃農抛繳地租發生租佃爭議申請調解一案茲訂 42 年 1 月 30 日上午十一時在本會調解希準時出席倘有書面細述意見請於調解前送會為荷 此致

李興蕉正先生

彰化縣新港鄉租佃委員會 啓 1 月 20 日

民國 42 年彰化縣新港鄉（今伸港鄉）申請租佃爭議調解通知書。（蘇全正／提供）

　　民國 40 年（1951 年）1 月，楊肇嘉開始進行全省地籍整理和土地丈量工作，接著奉派為兼任臺灣省政府「行政設計委員會」主任委員，制定改善原住民生活辦法，推動原住民定耕及國語推廣等政策；也依據《公地公產整理方案》踏勘荒地，規劃墾荒計畫後，協調工兵部隊協助整地開墾，再放領公地，以扶植自耕農。11 月，辦理臺灣省臨時省議會第 1 屆議員選舉。1952 年，臺灣省政府民政廳統一全臺中元普渡拜拜於農曆 7 月 15 日同一天，並訂立《改善民俗綱要》，為落實辦理，楊肇嘉奉派於 8 月 18 日假臺中縣召開中部五縣市長及正、副議長會議，研討改善方案；另成立兵役處，實施民眾反共自衛組訓工作。年底則辦理第二屆臺灣省縣市議員選舉。民國 41 年（1953 年）4 月，吳國楨請辭臺灣省政府主席後赴美，改由俞鴻鈞（1898～1960 年）接任，接著臺灣省政府進行改組，楊肇嘉則自動提出辭卸本兼各職，並獲准免兼臺灣省政府民政廳長，隨後接獲蔣介石總統任命令，繼續聘任為臺灣省政府委員，於是臺灣省政府主席俞鴻鈞指派其為地方預算審核小組召集人，仍委以重任；此外，他還受聘擔任彰

1953 年，臺灣省主席俞鴻鈞（中）來訪，楊肇嘉（右三）與客人在門前合影。（清水六然居楊肇嘉留真集，林景淵／提供）

1954 年，臺灣省主席嚴家淦（坐者中）來訪。（清水六然居楊肇嘉留真集，林景淵／提供）

化商業銀行業務顧問及由財政部派任為臺灣銀行監察人，
這是接替在日本過世及回臺安葬後的林獻堂遺缺。

審視楊肇嘉在民政廳長任內進行的工作，負責縣市
長、縣議員、臨時省議員的選舉，並執行土地改革、改善
民俗推動等多項重要政令，這對國民政府撤遷來臺後的政
局穩定與施政確立，啟用臺籍政治菁英，在策略上發揮相
當的助力和貢獻；直到民國 51 年（1962 年），臺灣省政
府進行改組時，楊肇嘉堅辭臺灣省政府委員一職，同年 11
月獲聘為總統府國策顧問，之後便漸漸退出政壇，並著手
撰寫回憶錄。

令人好奇的是，楊肇嘉在日本殖民統治時期積極為臺
灣人爭取自治權力，與日人對抗週旋的豪情壯舉，戰後回
臺卻處在戒嚴時期的嚴峻政局之中，他對蔣介石（1887 ～
1975 年）、蔣經國（1909 ～ 1988 年）父子和國民黨政權
的態度與看法為何？其個性上嫉惡如仇、直言敢說，極易
得罪人而遭致羅織罪名或誣陷，他卻又能化險為夷，而屢
受肯定重用，實屬不易。

其實他對蔣介石的用人和某些事情的處理有過批評，

但侷限在可以信任的朋友之間的談話，他知道政治險惡，所以不希望家人從政，遠離政治的是非圈。楊肇嘉在日治時期參與臺灣議會設置請願運動，領導臺灣地方自治聯盟，為米穀管制案奔走陳情抗議等民族運動，知道可以運用日本帝國憲法、法律和爭取友臺日籍國會議員、媒體及日本友人的支持與聲援等方式，透過講法、講理可以跟日本殖民官方周旋，爭取臺人的權益。他自己在中國大陸待過，戰爭結束之初，經歷過農場被洗劫一空的損失，也曾因回臺調查 228 事件爆發真相而得罪臺灣省行政長官公署長官陳儀（1883～1950 年），並先後遭誣陷為漢奸、戰犯等名義被逮捕，有短暫的牢獄之災，也和左派或親共分子在臺、日、上海交手過，這些經歷讓他對於中國政局和社會發展有一定的認識，他也曾婉言推辭省政府主席吳國楨想延攬其加入中國國民黨的好意，堅持理念而不為所動。

清水出身的作家楊風在民國 80 年（1991 年）12 月，報紙副刊上曾為文提到，他有兩次機會親自見到楊肇嘉，第一次是剛考上大學時，楊氏按往例邀請清水中學畢業金

榜題名的同學，到六然居吃點心以資鼓勵；另一次則是在旅居臺北清水中學校友會的年會上，楊肇嘉應邀為一、兩百位來自清水的學子講話，當時他外表看起來神情嚴肅的緣故，而顯得着老，用熟悉的泉州腔臺語致詞提到，臺灣這塊小蕃薯，快給國民黨的阿山仔吸乾，還不肯放過我們，繼續欺負咱們這些蕃薯仔。楊風描述當時的現場：「這些來自純樸鄉下的青年學子，被他慷慨激昂的這一席話，全都給震懾住，全場鴉雀無聲。」而「辦校友會的學長，個個鐵青著臉，在場的一些外省籍同學，更是個個尷尬地楞在一邊！」，可以想像在戒嚴時期白色恐怖彌漫的時代，且在臺北這種地方，楊肇嘉這番直白的公開談話，對莘莘學子而言簡直是震撼教育，在當時也無人出其右，敢公開直言不諱批評國民黨的不是，讓人見識到這就是他的真性格和過人的膽識；但是他批評的是國民黨人的貪婪和對臺灣的壓榨，並非公開直陳蔣介石的不是，甚至他認為蔣經國有建設臺灣，是有做事的人，而國民黨內也不乏有想做事的人才，如任顯群（1912～1975 年）、孫立人、吳國楨等。另外，他與陳誠（1897～1965 年）交情不錯，認

民國 50 年臺灣省立清水高中初中部畢業師生合影。（蘇全正／提供）

為陳誠有替臺灣人做事，因此，他是能就事論事的務實者，
不以偏概全，或許這是個性耿介的楊肇嘉在肅殺氛圍的政
治環境中，還能保持聲名不墜和安然無險的原因。

1957 年，臺灣省主席周至柔（右一）來訪。（清水六然居楊肇嘉留真集，林景淵／提供）

1962 年，臺灣省主席黃杰（左二）來訪。（清水六然居楊肇嘉留真集，林景淵／提供）

寶刀未老：主掌大雪山林業公司和重振中國醫藥學院

　　楊肇嘉的為人處事和作風為公不循私，廉潔不貪、德在人先、直言敢行是政壇皆知的正直之士，這也是他在戒嚴時期的政壇始終有相當影響力的原因，因此其才能屢被借重；茲舉例其出掌大雪山林業公司和受託整頓中國醫藥學院的校務往事，凸顯其臨危受命卻功成不居，重然諾的風範，故能深得公部門與民間社會的敬重。首先，大雪山林業股份有限公司是臺灣省政府於民國48年（1959年）所創立之第一家公營林業公司，其資本額新臺幣1億6千萬元，資金來源係利用美國經濟援助中華民國的經費（簡稱美援）。美援於民國45年（1956年）成立大雪山示範林區籌建委員會時即開始資助，之後至1961年間美援共提供約245萬美元的資金，其餘由臺灣省政府自籌新臺幣7,400萬元，並依據《公司法》邀集臺灣銀行、土地銀行、彰化銀行、第一銀行、華南銀行、臺灣省合作金庫六個行庫為股東，象徵性分配每股出資新臺幣100萬元。

　　大雪山林業股份有限公司號稱是全東亞最大的林業公

司，採行林業結合製材工業的現代經營模式的林業公司，
遂將傳統人工伐木方式改為引進美式機械伐木，並以公路
運輸配合索道運輸林木系統，運用美國全套自動化製材設
備，自上游砍伐，至下游加工，運銷一體化的生產營運模
式，提升產業價值。原本大雪山林業公司的成立象徵臺灣
林業發展史上的新里程碑，榮景可期，但經營幾年始終不
見起色，且虧損連連。於是民國 50 年（1961 年）11 月，
臺灣省政府主席周至柔（1899～1986 年）遂任命在前一
年擔任「八七水災重建計畫審議小組」召集人的楊肇嘉，
接掌大雪山林業公司董事長一職，希望借重其從政能力和
經驗，振衰起敝，但大雪山林業公司最終仍在民國 62 年
（1973 年）7 月停止營運，並奉行政院核示，大雪山林業
公司應於同年 12 月底前辦理解散，裁併於林務局，結束 5
萬多公頃的林場開發。

對於大雪山林業公司的經營不善和結束，雖然有人批
評楊肇嘉非林業專長背景，不懂林產管理與木材市場的運
作，大雪山林業公司的營運固然存在著，有如研究者指出
的在資金、技術、冗員、市場等問題，但省營事業，加上

美援委員會對資金運用的監督及 6 大行庫為股東，資金因素不致成為大問題；技術方面的問題在於美式設備原本適用於成長快速、枝幹直挺的美國松木、美國檜木等樹種，但臺灣紅檜、臺灣扁柏等原木，成長緩慢且樹齡較大，樹形多不規則，加上樹心因腐菌作用產生中空現象，造成鋸削出現大量邊材或廢材的浪費情形，製材率偏低，相對製材成本較高的問題；市場問題則在於戰後臺灣民間對於木材的買賣和使用習慣，仍沿用以日本殖民統治時代所建立的一套製材尺寸規格，以「材積」計算木材的大小為標準，而美式設備所裁切的板料尺寸是按美規生產，與民間習慣的產品需求不同，也造成使用上的不便而影響銷售量，以致於民國 54 年 11 月，在美規製材場啟用年餘，即因不適鋸製省產原木而暫時停工。因此，大雪山林業公司在原美規製材場（又稱為大製材場）旁，又增建一處專門生產按臺灣民間通用的日規木材尺寸的製材場（又稱為小製材場），以符合市場之需。理論上已經進行產製調整，符合國內市場的需求，公司營運上應該有所改善和好轉，但事實卻不然，公司仍處於虧損狀態，何以致此？

　　其實冗員問題才是關鍵，也是省主席周至柔要借重楊肇嘉做事秉公，待人敦厚的管理特質之處。大雪山林業公司在編制上有正式員工近 200 人，臨時伐木工人約有 1,000餘人，全盛時期則有 1,300 多位員工，人事成本顯然過高，尤其是還安置不少由行政院國軍退除役官兵輔導委員會（簡稱退輔會）轉介而來的榮民，固然解決部分榮民轉業、就業的問題，也是配合國家照顧退除役國軍官兵的政策，但對於公司的管理和營運成本及績效方面，恐怕是更大的負擔，由此，足見楊肇嘉所肩負的責任重大，其艱鉅程度可想而知，楊氏本人生活簡樸，公務上不接受任何招待，跟員工一樣在餐廳排隊吃飯，沒有架子並以身作則，因此贏得員工的尊重，而他對於大雪山林業公司的經營，也自承能夠問心無愧。

　　而原屬於大雪山林業公司舊製材場目前位於今臺中市東勢區東關路上，介於行政院農業委員會林務局東勢林管處與臺中市立東勢高工校區之間，民國 88 年（1999 年）921 震災時曾做為罹難災民遺體暫厝之處，也因災區重建下，才又為學者所發現並發起搶救和進行建築體測繪紀

錄，及做出修繕評估建議，其後則由東勢林管處進行修繕
和管理維護，不料於民國 95 年（2006 年）5 月 14 日，修
繕接近完工的大雪山製材場卻發生大火，場區近乎全毀，
至 2011 年重新整修和規劃為東勢林業園區的一部分景觀。

　　楊肇嘉為人剛正不阿，做事清廉的人格也深得民間各
界肯定，尤其重視教育發展，因此，民國 50 年（1961 年）
6 月，中國醫藥學院（**現中國醫藥大學**）的創辦人兼首任
院長覃勤為解決董事會內部紛爭，親到六然居三顧茅廬
前後達 8 次，拜託楊肇嘉擔任中國醫藥學院董事會的董事
長，整頓學校的校務和協助解決債務困境。中國醫藥學院
是覃勤於民國 47 年（1958 年）創立，以發揚中國傳統醫
學，促進中西醫學一元化發展為宗旨，楊氏是個性情中人，
生性具正義感，加上為教育發展和醫學人才的培育考量，
他不忍心眼見覃勤一生的心血付諸流水，雖然親友極力勸
阻，最終仍首肯接下重擔，當然，履任後隨之各種流言、
毀謗、汙衊等人身攻擊紛至，乃至官司纏訟不斷，楊肇嘉
亦不對外界有所聲辯反駁，蓋其胸襟磊落坦蕩之故，究其
原因是他認為必須把所有的錢用在學校經營上，不肯再讓

董事把學校的錢拿回去分紅，擋人財路才招致諸多不實指控，因此，直至卸任後 2 年，興訟的對手才以誤信他人說法和誤會為由撤告。

楊肇嘉面臨中國醫藥學院董事會的紛爭不斷，校務沉苛待整等艱鉅挑戰仍沉著以對，了解問題所在。首先，延攬人才和充實教學設備，其親自延攬知名醫學教授邱賢添擔任醫學院院長，將人事和經費全權委由邱賢添院長做主，以整頓校務，並延聘中、西醫優秀人到校教學，募款百萬元籌建科學實驗大樓，同時向銀行貸款清償鉅額債務，讓學校營運漸漸步上軌道。

民國 52 年（1963 年）11 月，楊肇嘉 72 歲嵩壽和結婚 50 年金婚之喜，中國醫藥學院全體學生聯名，請知名書法家施壽柏書寫「椿樹千齡」製成壽匾為其祝壽，足見其深受學生愛戴和感念。任職期間也曾出面調解私立高雄醫學院院長杜聰明（1893 ～ 1986 年）博士與董事長陳啟川（1899 ～ 1993 年）之間的糾紛。另外他在中國醫藥學院董事長三年任內，個人捐助學校亦達新台幣數十萬元，尤其他還私下自掏腰包接濟因案入獄服刑的覃勤，每月

2,000 元生活費，直至其假釋出獄為止，足見他是個有情有義的長者，為了教育而不計較個人榮辱得失，凸顯其胸襟與高度。民國 53 年（1964 年）7 月，楊肇嘉認為已完成階段性任務，學校師資、財務漸次起色和獲銀行貸款紓困，因此決定辭卸董事長職務，消息傳出，師生騷動不已，極力挽留勸說，最後勉強留任為學校董事，但仍將董座一職交棒出去。

　　從這兩個公私案例可以看出，楊肇嘉從不主動求取名位，反倒都是別人找他幫忙，甚至是跳火坑之舉，但他不伎不求，既不眷戀權位和利祿，亦不藉勢謀取私利，光明磊落的作風贏得社會大眾的一致肯定和讚賞。

俠義風骨，不畏強權：與在野、自由派往來及保釋張光直的軼事

　　楊肇嘉的個性極富正義，且直言敢說，不畏強權的特質，因此處在戒嚴時期和政治氛圍肅殺的時代，格外凸顯其正義凜然的作風。因他戰前曾至大陸的生活經驗，所以能操北京話，故能與戰後來臺的外省官員、軍民往來，其

民國 44 年《精忠報》刊載孫立人案。（蘇全正／提供）

中他與雷震（1897～1979 年）、孫立人（1900～1990
年）、胡適（1891～1962 年）等自由派知名人物，及
臺灣省議會有「五龍一鳳」稱謂的郭雨新（1908～1995
年）、吳三連（1899～1988 年）、許世賢（1908～

1983 年）等本土派人士均有往來和一定的交情，也曾收容掩護過因廖文毅（1910 ～ 1986 年）案和臺灣再解放同盟案被通緝的廖史豪（1923 ～ 2011 年），可能是因廖史豪的母親蔡繡鸞是清水蔡惠如的姪孫女，嫁給廖文毅的哥哥廖溫仁。此外，也收容過因〈和平宣言〉案繫獄十二年剛從綠島出獄回來的左翼作家楊逵（1905 ～ 1985 年）；又如，民國 44 年（1955 年），時任總統府參軍長的二級上將孫立人，因部屬郭廷亮涉入匪諜案而遭軟禁、免職，接受監察院調查的前三天，孫立人和其元配孫張清揚（1913 ～ 1992 年）曾連袂至清水六然居拜會楊肇嘉，但楊氏正在臺北市上班而未遇，孫立人可能知道自己即將面對大風波，才會想尋求楊肇嘉的幫助；後來孫立人被軟禁在臺中市向上路的公館內，內外都有情治人員監控著，楊肇嘉每次到臺中開會或探視兒孫時，都會特地前往探視孫立人，毫不避諱；這些都說明了戰後楊肇嘉雖然出任公職，但不是為了個人權勢和官位，在戒嚴時期難行而行，可見他的心中始終是為臺灣前途著想，愛惜人才，不畏個人安危與榮辱，也是他受大家敬佩之處。

其實楊肇嘉還有一段義助救人卻不為人知的故事，最值得特別加以介紹，緣於國際知名的考古學者張光直（1931～2001年）教授，於1998年出版其自傳《蕃薯人的故事》，是有關其早年生活及「四六事件」的回憶。「四六事件」發生於民國38年（1949年）4月6日，發生原因是當年3月19日有臺大和臺灣師院學生二人共騎腳踏車，因單車雙載被警察取締時產生衝突，學生被警察毆打後，消息傳回學校，引起兩校學生不滿，遂相約至警察局包圍抗議和發動罷課遊行，一時間群聚多人引起不小騷動和圍觀，根據寓居臺中市已故的洪敏麟教授親口告知，他當時就讀

張光直所著《蕃薯人的故事》書影。
（蘇全正／翻攝）

臺灣省立師範學院（今國立臺灣師範大學）住在宿舍中，
聽到有同學只因單車雙載問題就被警察毆打，對於當時
大學生而言簡直是對知識菁英的無理舉動，眾人情緒譁
然遂相約前往派出所聲援要求放人，洪敏麟說當時閒著
沒事就跟著大家後面去看熱鬧，根本沒有反政府或被共
產黨煽動的情形。

　　此事卻被當局認為是有共產黨在背後煽動學潮、指
使的陰謀存在，臺灣警備總司令部遂下令 4 月 5 日深夜進
行包圍臺大、師院逮捕學生的行動，洪敏麟也因此於 6 日
清晨被逮捕拘禁一星期左右才被釋放，而張光直當時年僅
十八歲，就讀於臺北市建國中學三年級，是四六事件中唯
二被捕的高中生之一，其記憶中報載當天連同他、臺大、
師大、新聞報界、成功中學等，總共 19 人被捕，張光直
被捕的原因是被控在北平加入共產黨，來臺灣後在建國中
學裡宣傳共產主義，經過數不清的疲勞偵訊後，並未定罪
卻輾轉被關押在第一分局、臺北監獄、臺北市西本願寺地
窖（臺灣警備總司令部情報處）、內湖等處，羈押近一年，
才被釋放，責由父親張我軍（1902 ～ 1955 年）領回家管

教，相對於洪敏麟的說法，張光直回憶錄中指稱臺大學生是被臺灣警備總司令部按名單逐一抓人，師院學生則沒有名單，所以住宿學生全部被逮捕，再一一偵訊後留人。

　　張光直的父親張我軍是今新北市板橋區人，對日本殖民統治時代的臺灣新文學發展，奠定理論基礎的貢獻很大，其寓居北平時期，效法民初五四運動胡適（1931～2001 年）推動白話文寫作，曾在報端撰文批評臺灣舊文學封建、妥協的性格，以致引發 1920 年代與連橫（1878～1936 年）為首的傳統知識分子之間，進行新舊文學論戰，被視為臺灣新文學運動的奠基者，戰後，張我軍一家除長子張光正滯留大陸外，家人相繼返臺定居於臺北市，其先後任職於臺北市臺灣茶商公會、合作金庫，擔任文書工作，張光直則進了建國中學就讀。

　　因此，張光直在回憶錄中直指四六事件是「國民黨的情治機關詳細地計畫、執行臺灣學生運動的消滅計畫，並且基本上是很成功的。」唯張光直也坦承自己思想有些左傾，也看一些左傾書籍，在校內和幾位同學辦學生刊物《五十年代》和壁報等，後因故被同儕得罪的學生向該校

省政浮沉，老驥伏櫪｜第二章

訓導處舉報他們幾個具有共匪嫌疑，而被保安單位列入郵政檢查的黑名單之中，所以四六事件中張光直被捕似乎是保安單位藉此收網和一併處理之舉，而後來保釋他出來的人就是楊肇嘉，因張我軍與楊肇嘉是至交，遂託付楊肇嘉向臺灣省保安司令部彭孟緝（1908～1997年）副司令說項多次，而張我軍也寫了好幾封信給彭孟緝，以母親病危希望臨終前讓母親見到愛孫一面為由，1950年3月12日終獲首肯釋放張光直。

　　張光直出獄後未再回校念書，因繫獄經驗，接觸到各式各樣不同的人，因而對於「人之所以為人」產生濃厚興趣，遂憑著自學以同等學力考上臺灣大學考古人類學系，1955年畢業後赴美深造最終獲取美國哈佛大學人類學博士學位，並致力於聚落考古學理論、史前史理論、中國考古學、臺灣考古學等研究，其名著《古代中國考古學》（"The Archaeology of Ancient China"）廣為歐、美、亞各國大學、研究所採做為教科書。歷任耶魯大學、哈佛大學教授、美國科學院院士、美國文理科學院院士、中央研究院院士、中央研究院副院長等職，成為國際知名學者，尤其計畫主

持 1970 年代全東亞最大型的跨領域科際整合的「臺灣省濁水、大肚兩溪流域自然與文化史科際研究計畫」，結合民族、考古、地質、地形、動物、植物等學科的綜合研究，並揭櫫了臺灣考古學重視自然生態與歷史人文的研究取向至今。另張光直和宋文薰在 1964 年運用碳 14 定年方法，對於臺中市的大肚營埔遺址和大甲鐵砧山下番仔園遺址的絕對年代做出較精確的測定，進一步確立中部地區的史前文化層序和絕對年代，其影響至今。

張光直後來透過已故張炎憲（1947 ～ 2014 年）教授受託整理楊肇嘉遺物時發現一份楊肇嘉 1952 年 8 月 11 日向臺灣省保安司令部新生訓導處處長報告的資料，並引錄在其回憶錄中。內容提到楊肇嘉向彭孟緝陳述張光直尚堪造就，懇予酌情寬處終獲特准開釋的背景；其次轉知張光直立即向駐在地警察機關報到，並將張光直離隊後的生活動態加以陳述，包括奉准離隊後在家複習功課，準備升學並在同年考上國立臺灣大學文學院考古人類學系，每天由家中走讀到校，即將升入大三的情形；此外，直陳張光直在受訓中深悟訓誨的道理，益加堅定反共抗俄信念，由於

感念政府愛惜青年德意，離隊後不敢隨便與人交際，一味讀書努力功課，冀能成為有為國民以圖報國恩，故在學二年品學兼優，並受領教育部工讀獎助金和省教育廳特種獎學金，有案可稽等。而當時楊肇嘉是住在臺北市牯嶺街8號寓所，臺灣省保安司令部新生訓導處則設在綠島，由以上的定期報告可知楊肇嘉愛惜人才，甘冒保釋政治思想犯風險，卻仍仗義挺身而出的正直，倘若沒有楊肇嘉當年仗義力保張光直的釋放，張光直有可能被移置關押在綠島的新生訓導處，也就沒有後來國際人類學、考古學界這顆閃亮的巨星和研究的貢獻，所以楊肇嘉的這段義行往事應特加表彰，以傳之久遠。

日常生活中的楊肇嘉

為了瞭解楊肇嘉的日常生活，筆者特別在臺北拜訪了楊肇嘉先賢的外孫吳柏慶先生（楊氏長女楊湘玲之子），請吳先生談談自幼年起，長期和楊肇嘉住在一起所觀察到的日常生活，這些事情，一般而言，在自傳、回憶錄或由他人寫的傳記中比較不容易看到。

先賢楊肇嘉出生於臺灣清水，幼年就讀日本人設的「公學校」，後來曾經有一段時期定居上海，臺灣光復後又曾擔任重要公職……，從這些經歷看來，他必定使用過三種語言，也就是臺灣話、日語、普通話。臺灣話乃是他的母語，當然運用自如，不容置疑。

日語呢，在《楊肇嘉回憶錄》中（第一冊，頁三十），楊氏曾回憶幼年學習日語的成果並不滿意。他說：「那所公學校雖然六年制，但程度極低，是以教學日文為主。即就日文來說，畢業後能講得通的也實在不多。像我這樣時常在岡村校長身邊，講日語的機會總算是比較多的，也還得要藉手腳之助，才能完全表達意思，別的學生更不用說了」。

不過，後來楊肇嘉赴日唸完中學（舊制中學等於高中程度），回臺灣工作以後，三十幾歲又進入早稻田大學攻讀，因此而大力在日本推動民主運動，也結識不少日本名流。估計楊氏在日本語、文方面應該具有一定水準。在普通話方面，因為成年才學習的，運用起來可能比較吃力。

據長時期和外公住在一起的外孫吳柏慶說，楊肇嘉日常在家中都說臺灣話，但普通話似乎也不太靈光，在擔任公職（民政廳長等）時，往往也是「現買現賣」，隨時學習、運用。

筆者對於「民族意識」很強的楊肇嘉的衣著頗感興趣；但是，單單從留下來的照片來觀察是不夠的，詳細情形則在吳柏慶先生口述中瞭解得比較清楚。楊肇嘉念了日本人設的學校，又曾擔任過公學校教師、清水街長，那時期穿著日本服裝自是理所當然。

1963 年，楊肇嘉與夫人穿著唐裝合影。（清水六然居楊肇嘉留真集，林景淵／提供）

光復後，先賢楊肇嘉日常的服裝都是穿臺式布紐的衣服。例如去民政廳上班，一般是穿西裝，但一回家便換上臺式衣服，很少有例外。在某些特殊場合，楊肇嘉也會穿長袍馬褂，但是，最值得注意的是，楊氏非常節儉，許多衣服都補了又穿，連西裝都是如此，這是在楊氏身旁親身觀察的吳柏慶說的。

洪炎秋在《楊肇嘉回憶中》的〈序〉中提及，「肇嘉兄是個性情中人，渾身熱血，慷慨激昂；為了民族運動，一擲千金，毫不吝嗇……」。這位「一擲千金」的先賢，居然經常穿著補綴的衣服，這一點，也許可以讓我們充分體會出他在平凡中的偉大！　（林景淵／撰）

第三章 Chapter 3

六然隱寓，典型夙昔

　　清水地區的漢人，在雍正年間正式大量移墾，原本為平埔族牛罵社的生活領域，不到 50 年的時間已然建立十餘個聚落，從最先的廣東饒平籍客家蕭、林、蔡姓族人，再到福建泉州籍的蔡、楊、林、周、顏、梁、黃、陳等諸大姓，漸次開發並蔚為大族和累積財富，加上文教風氣漸興，人才輩出，形成勤奮又悠閒的生活特色。

清水楊、蔡二族的競合

　　清水當地素有兩大家族，即牛罵頭街蔡家和社口庄楊家，彼此在地方上呈現互相競爭關係。社口庄楊家的開基祖是楊咸曲（1733 ～ 1802 年）、楊咸仙兄弟，乾隆 21 年（1756年）自福建省泉州府同安縣移墾入臺，傳三房：舒崑（1770 ～ 1791 年）、舒獻（1778 ～ 1852 年）、舒霧（1778 ～ 1826 年），開創出楊同興衍派，堂號為「四知堂」，其中，二房傳下水信、清輝、澄若。楊家文風鼎盛，在清代有多人科舉及第，如楊金波（1823 ～ 1890 年）、楊清珠（1827 ～ 1890 年）、楊清秀、楊清俊、楊清瀾、楊清藩、楊清華、楊清新、楊監若、楊壽若、楊澄若、楊丕若、楊昭丙等 13 位皆為邑庠生或廩生，其中楊肇嘉的養父楊鴻達，字澄若，諱紹泉，為臺灣府學廩生，

清廷誥授奉政大夫。

　　楊家是在楊金波時期才遷至社口庄，三房舒霧子楊金波，名芳西，字長庚，年近 30 歲才入泮，40 歲時補廩膳，後於光緒 7 年（1881 年）被選拔為歲貢生，60 歲中舉並擢明經，後官拜提督兼道臺，其家族因經商有成，購置田產而富甲一方；大房舒崑派下之裔孫楊清珠，名克湖，因倡捐募勇參與平定同治元年（1862 年）戴潮春抗清事件，與臺灣兵備道丁曰健和臺灣府知府周懋琦共同克復彰化縣城，獲賞戴藍翎欽加五品銜軍功後，始於同治 2 年（1863 年）興築大宅，分為楊金波及楊清珠二座合院建築，皆為穿斗式桁架，而楊金波因其中舉後獲清廷頒授「明經」功名，因此其堂前懸有「明經進士」匾一方，故屋頂能採燕尾翹脊型式，其建築群是由三組三合院並列組合而成，每棟都具內埕、中埕、外埕的格局，外埕左右尚存有兩座清代花崗石旗杆座，以及一口八卦造型古井，民國 99 年（2010 年）7 月 12 日，經臺中市政府依《文化資產保存法》規定指定公告為臺中市市定古蹟，而歷史建築清水公學校日式宿舍群，則於 2018 年規劃為楊肇嘉先生紀念館。

社口楊宅山門。（蘇全正／提供）

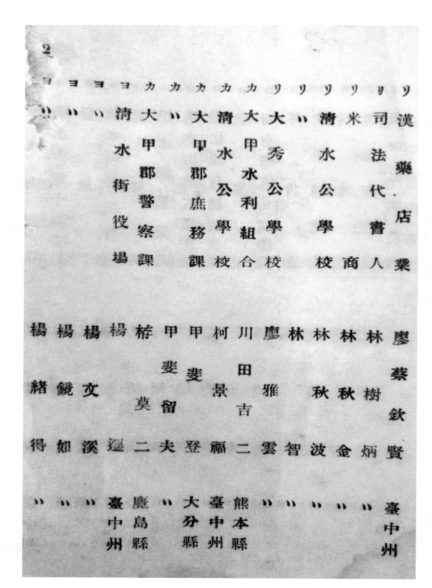

楊氏族人多人任職於清水街役場名簿。（蘇全正／提供）

清代中舉旗杆座。（蘇
全正／攝）

清水社口楊宅八卦井。
（蘇全正／攝）

臺中市立清水高級中等學校校門。（蘇全正／攝）

（上）清水公學校日式宿舍群 2018 年規劃為楊肇嘉先生紀念館。（蘇全正／攝）
（下）楊肇嘉先生紀念館外牆。（蘇全正／攝）

六然居及其它

　　楊肇嘉的居處每每以頗為風雅的名字來命名。昭和 12 年（1937 年），楊肇嘉一家人原本租屋住在臺中，但聽聞家鄉的人傳說有一塊地原屬其父所有，正要付諸拍賣，楊肇嘉遂舉債買回，並在這塊土地興建一座住宅，「將行道樹做為弓形曲環，所植多為耐寒日松，院內則栽竹梅，以示勁節。」若干年後，「樹牆成後，渾然雄厚有姿，臨者無不稱善。」（引自《回憶錄》）。

　　這一座自宅，楊肇嘉命名：「六然居」，在《回憶錄》中提及「六然」即：「自處毅然、處人藹然、有事嶄然、無事澄然、得意冷然、失意泰然」。不過，經查日本陽明學大師安岡正篤所引用明崔銑的「六然」卻是「自處超然、處人藹然、有事斬然、無事澄然、得意澹然、失意泰然」。究竟楊肇嘉所列舉的「六然」是筆誤或口授時有所出入（《回憶錄》乃別人代筆的），抑或刻意改了幾個字，那就不得而知了。

　　同一年（1937 年）楊肇嘉舉家遷往東京，以新小川町命名「退思莊」；在《回憶錄》中提到「此處庭院亦極可觀，花木茂盛，頗合我的心意。」門旁則掛著對聯：「退一步正進一步；思之深則資之深」。所謂「退思」，讀者如果知道，就在這一年 8 月，楊肇嘉付出多少血汗，努力奔走的「臺灣地方自治聯盟」竟被迫解散，便不難理解當時楊肇嘉的心境如何了。

　　昭和 16 年（1941 年），楊肇嘉為了讓多病的次女養病，毅然買下避暑勝地輕井澤一塊 308 坪的土地，並迅速興建了一棟別墅，並命名為「大潛山莊」，這件事有一段插曲，原先楊肇嘉為愛女養病而向林獻堂商借在該地（輕井澤）的一棟空屋，但未獲同意，楊肇嘉不得已才自己購地興建。

　　「六然居」、「退思莊」、「大潛山莊」，在日治時代，命名如此古意盎然的住居，除了可以理解楊肇嘉同一時期的心境以外，也充分透露他小時候在漢文私塾所學到的功力，甚至也可以了解楊肇嘉的民族意識！

　　至於蔡姓祖籍福建省泉州府晉江縣，又分為濟陽蔡姓、
莆陽蔡姓二支派，其中莆陽蔡家於雍正年間遷臺，致富後成
立泉成號，共六房，至咸豐元年（1851年），有蔡守忍（1827～
1887年），字濟卿，號鰲山，中式恩科第96名舉人，官章鴻
猷，後因參與平定同治元年（1862年）爆發的戴潮春抗清案
有功，賞五品藍翎候補知縣銜，蔡家的族勢扶搖直上；蔡鰲
山為泉成號雙祧第五、六房，當同治12年（1873年）分家時，
其鬮分所得土地主要分布在今清水區客庄（頂湳里）、二棟
槺庄（槺榔里），而他進一步創立蔡太和堂，憑藉功名和財
富陸續購置今清水、沙鹿、梧棲、龍井，及彰化等地區之土
地。

　　而濟陽蔡家開臺祖為蔡世璉，其子蔡鴻元成立蔡源順船
郊，船隊往來福建、北京、天津，寧波南洋等地貿易而致富，
蔡鴻元有子五房，以三房蔡時超最具盛名，善於經商，從事
米穀買賣和設立織布工場，生產名聞北京官場、上流社會的
「澀黑布」，遂成為巨商，人稱蔡百萬；而蔡鴻元的衍派子
孫以長房蔡時保有子敏川、敏南、敏貞三人，其中敏川被清
廷旨派為廣東道臺，但未赴任；敏南有獨子蔡惠如（1881～

1929 年），日後成為與霧峰林家頂厝林獻堂（1881 ～ 1956 年）
共同提倡臺灣議會設置請願運動的領導人，也是影響楊肇嘉
赴日留學後投入抗日民族運動最大的啟蒙者；五房蔡時洲有
子蔡蓮舫（1875 ～ 1936 年），清朝歲貢生出身，後以辦理
陝西飢荒賑濟有功，獎敍五品後補同知銜，並賞戴花翎殊榮，
日治時期曾任保良局長、頒授紳章、敍勳六等，及擔任臺中
廳參事、臺中區長、州協議會員等職，其後代在工商實業界、
公職、醫界、法律界、地方農會、水利會及教育界等都有不
錯的發展。

　　楊、蔡二家在地方上的發展有其地域的重疊性，難免產
生因競爭而造成的磨擦糾紛或心結；由於蔡家的蔡惠如曾參
與大正 7 年（1918 年）由林子瑾（1878 ～ 1956 年）、林幼
春（1880 ～ 1939 年）創辦臺灣文社（1918 ～ 1926 年）的 12
個發起人之一，其後因大正 13 年（1924 年），返臺後發生臺
灣總督府以臺灣議會期成同盟會違反《治安警察法》為藉口，
大肆搜捕、傳訊、扣押臺灣文化協會的重要幹部，蔡惠如與
霧峰林家下厝林幼春（1880 ～ 1939 年）、蔡培火（1889 ～
1983 年）、蔣渭水（1891 ～ 1931 年）等人被羈押三至六個月，

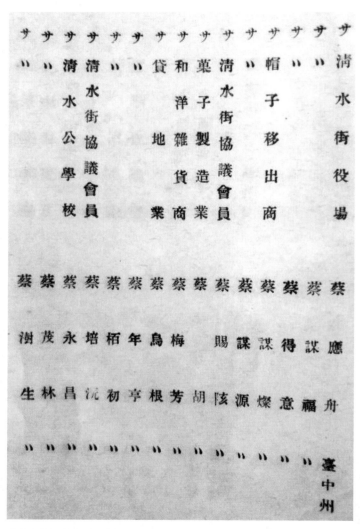

蔡家多數從事土地買賣租賃業和任教清水公學校。（引自《清水街名刺交換會會員名簿》，1932年。（蘇全正／提供）

所謂的「治警事件」，成為全臺矚目的焦點。因此，楊肇嘉
對蔡惠如相當敬重尊仰，稱他是先輩，盛讚蔡惠如的為人處
世眼光遠大，關心臺灣的民族前途，並把大我的觀念展現無
遺，喚醒臺人的抗日意識，深具豪傑志士的氣概，也吸引著
年紀小他十餘歲的楊肇嘉，即便楊氏擔任牛罵頭街長公職時，
竟敢不避嫌地跟著蔡惠如到全臺各地公開演講，此舉招致日
本殖民官方的猜忌和監視，但楊肇嘉仍不改其志，追隨蔡惠
如抗日的腳步與意志，同時也藉此化解蔡、楊兩家長久以來
的磨擦與累積的心結。所以，昭和4年（1929年）5月20日，
蔡惠如過世時的喪禮，即由楊肇嘉專程自日本返臺弔唁，並
一人包辦主導喪禮和追悼會的舉行，展現其對蔡惠如畢生為
臺灣民族前途所付出的努力，衷心敬佩與感念。

門當要戶對：大戶貴族的姻親網絡

　　清水社口楊家聯姻的對象，不局限於具有相當資產和
社會地位的高知名度社會領導階層，與日治時期臺灣五大家
族間的相互聯姻，穩固家族勢力和權益的方式比較起來，是
採取比較務實的地方中型以上規模和財力，且有實質地方影

響力的家族，並跳脫祖籍別的思維；如楊肇嘉本身的婚姻就是由養父楊澄若主意與在今臺中大雅、西屯地區族裔繁茂且為福建漳州籍的張姓家族聯姻。當然楊家與五大家族之間有所往來，甚至楊家就與霧峰林家有聯姻關係，如楊肇嘉的大弟楊天錫娶霧峰林家下厝林文察（1828～1864 年）子林朝雍之女林月規為妻，大妹楊碧霞則嫁給霧峰林家頂厝林紀堂（1874～1922 年）長子林魁梧，也是楊肇嘉的好友，但這段婚姻最終是失敗的；二妹楊翠霞嫁給戰後臺中縣地方派系，黑派始祖陳水潭家族的陳慶華（1903～1988 年），其於日本早稻田大學畢業，戰前在日本擔任法官，戰後任職臺灣高等法院檢察官、第一屆監察院監察委員等公職。三妹楊月霞則嫁給彰化名人李崇禮（1874～1951 年）次子李君晰，係日本商科大學畢業，任職於彰化銀行，雅好藝文，楊肇嘉 91 歲冥壽時，李君晰編有紀念其 90 冥誕《楊肇嘉先生追思錄》一書印行。

而楊肇嘉則育有五子三女，除三子基博、次女湘英早殀，次子基森英年早逝未婚外，長子基椿娶豐原街烏牛欄林祚海的長女林淑珠為妻，五子基焜在美國與三信商事集團林木佳

之女林碧貞聯姻，長女湘玲經好友吳三連的介紹，1940 年嫁給臺南吳鏡秋秀才之子吳金川（1905～？），吳金川戰後歷任合作金庫信託部、業務部經理、彰化商業銀行經理、副總經理、總經理、董事長、財團法人中華聯合徵信中心董事長等職，是臺灣金融界的巨擘之一，三女湘薰經臺灣養樂多公司創辦人陳重光的介紹，嫁給富邦集團曾任立法委員的蔡萬才。至於其弟楊天賦的長子楊基炘與永豐餘集團創辦人何永的長女聯姻，而楊基炘獨生女楊素娥則嫁給日本時代的政商名人，戰後曾任臺灣省政府顧問、中日文化經濟協會顧問的許丙（1891～1963 年）之長子許伯埏（1917～1991 年），畢業於日本東京帝國大學，與辜振甫、林金生同學，愛好西洋音樂，由此可知，豪門家族為了家勢鞏固，相當重視門當戶對的婚姻關係及交際網絡。

此外，楊肇嘉自己與板橋林家林柏壽（1895～1986 年）、臺中神岡筱雲山莊呂家的呂磐石、呂靈石昆仲皆為好友，其中林柏壽是他旅居日本時認識的朋友，戰後更成為其重要的摯友和資金贊助者，如民國 42 年（1953 年）6 月，林柏壽邀他與日人大石角次、其侄子楊基銓等人合股投資大昌漁業股

份有限公司，成為戰後臺日民間漁業公司合作的首例，並由楊肇嘉擔任董事長，翌年（1954 年）11 月，他推薦林柏壽入主臺灣水泥公司，成為民營化的首任董事長，而當其家鄉的省立清水高中要籌建禮堂，約需花費新臺幣 100 萬元時，原本希望林柏壽能無限度供應水泥，但最後由林柏壽個人捐出 20 餘萬元贊助，足見雙方的情誼深厚。

由於大家族彼此之間往往透過聯姻通婚，強調門當戶對或親上加親的方式，達到如同象徵資本（symbolic capital）理論所言，此種資本投注性的婚姻，用以確保和鞏固家族在地方的利益、權勢、地位及影響力，確實有相當成效，但並非婚姻長久幸福的保證，在許多家族身上都可以發現幾起類似的婚姻失敗或不幸福的現象，或許也是命運的安排，未能凡事盡如人意吧。

臺灣民族運動史上的雙星：楊肇嘉與林獻堂

楊肇嘉與霧峰林家頂厝林獻堂之間，不僅有姻親的關係，彼此交情匪淺，尤其均投入抗日民族運動，也都扮演著推動

與領導的重要角色，可說是日治時期臺灣抗日民族運動上的閃耀雙星，相互輝映，而戰後林獻堂雖短暫出任公職，卻因建言不為當局所採納，且對政府政策失望而黯然離臺赴日，相較於林獻堂，楊肇嘉自上海返臺後，出任要職，在施政上迭有表現和受到倚重，其貢獻與影響亦較為卓著。

林獻堂，名朝琛，諱大椿，號灌園，字獻堂，日治初期曾擔任過霧峰參事、霧峰區長、阿罩霧圳組合長，明治 38 年（1905 年），臺灣總督府頒授紳章，其政治思想深受梁啟超（1873～1929 年）的啟蒙與影響，故在日治時代致力於推動臺灣議會設置請願運動及臺灣文化協會、臺灣民眾黨等臺灣民族運動，以文化覺醒方式抗日有很大的啟發和影響。

林獻堂於大正 3 年（1914 年）兩度邀請板垣退助（1837～1919 年）伯爵來臺成立臺灣同化會，強調臺灣為日中親善的橋樑，但旋即被迫解散；大正 8 年（1919 年），加入新民會，並擔任會長；1915 年，西來庵事件後，主張放棄武裝抗日，避免無辜犧牲，改採啟迪臺灣人意識的文化抗日模式，爭取殖民地臺灣的權力；大正 10 年（1921 年），臺灣文化協會成立，被推舉為總理，翌年（1922 年），與楊肇嘉商討在東京

推動臺灣議會設置請願運動的可能性；大正 12 年（1923 年），發生臺灣議會設置期程同盟會員 29 人被逮捕的「治警事件」，楊肇嘉當時為清水街長身分，也因時常公然參加臺灣文化協會動而遭日警約談；大正 15 年（1926 年），大東信託會社在臺中吳子瑜家召開發起人會議，由林獻堂主持會議，決定資本額為 250 萬元，並在同年 12 月 30 日正式成立，聘請陳炘為總經理，林獻堂為董事長，成為日治時期臺人最重要的民族資本，也是民族運動的主要經費來源；昭和 5 年（1930 年），臺灣地方自治聯盟成立，致力於推動臺灣地方自治運動；昭和 9 年（1934 年），臺灣議會請願運動被迫停止，翌年（1935 年），臺灣總督府在臺實施第一次市會及街庄協議會員選舉，臺灣地方自治聯盟推薦的候選人多數當選；昭和 11 年（1936 年），林獻堂參加在臺中公園舉行的始政紀念日園遊會時，引發被右派日人毆打羞辱的「祖國事件」，當時參加活動並在場的楊肇嘉，見狀奮勇抱住施暴的日本人，避免林獻堂受到進一步的傷害；昭和 11 年（1937 年），中日戰爭爆發，局勢驟變，臺灣社會被迫納進戰爭體制，致使臺灣地方自治聯盟在召開第四次全島會員大會時宣告解散。

台灣新報

（星期）　中華民國三十五年二月二十五日

臺灣省行政長官公署公告　丑眞(廿五)署宣字第01157號

查本省淪陷五十一年，在文化思想上，中敵人遺毒甚深，亟應嚴予查禁，凡：

1、宣揚「皇軍」戰績者
2、鼓動人民參加「大東亞」戰爭者
3、報導佔領我國土地情形，以炫耀日本武功者
4、宣揚「皇民化」「奉公」之運動者
5、詆毀 總理 總裁我國國策者
6、曲解三民主義者
7、損害我國權益者
9、宣傳犯罪方法妨碍治安者

等圖書、雜誌，盡程一律禁止售賣，全省各書店舊攤，應自行檢查，如有此類圖書、雜誌、畫報，速自封存聽候令交，集中焚燬，如敢故違，一經查獲，定予嚴懲不貸，除定期辦理檢查並分令外，特此公告通知，

中華民國三十五年二月十一日

行政長官 陳　儀

民國 35 年臺灣省行政長官公署陳儀實施去日本化政策的公告。（蘇全正／提供）

　　1937 年，中日戰爭爆發後以林獻堂等人為首的文化抗日人士，自然成為日本殖民官方密切監視的對象。自 1937 ～ 1945 年處於皇民化及太平洋戰爭如火如荼展開之際，林獻堂被迫出任皇民奉公會中央委員和貴族院議員，但他藉熱衷佛教信仰採消極態度因應，惟仍遭日人嚴密監控，楊肇嘉則在臺灣地方自治聯盟解散後，先舉債購回祖產和興建六然居，當年底舉家遷居於其東京的寓所退思莊。翌年（1938 年），東京的媒體指名抨擊楊肇嘉是反軍、反南進國策的背後大陰謀工作主導者，並受到特務跟監，但他仍持續與吳三連、劉明電等人關注和奔走於米穀管制案，並發表〈臺灣米穀輸出管理法案威脅戰時的糧食政策〉一文，設法阻止米穀管理法案通過；昭和 18 年（1943 年），楊肇嘉在次女病逝於日本後，決意遠走到中國離開日本，先取道經朝鮮，卻在往滿州國的火車上被日警藉故逮捕拘留達 16 天，經其長女婿吳金川託人營救後始獲保釋出獄，隨之抵滿州國首都新京（今中國長春市），再南下經北京，最後抵達上海落腳定居，經營大東實業公司上海支店及大東農場。

　　戰後，林獻堂先後擔任臺灣省參議會議員、國民政府參

政員、臺灣省政府委員、臺灣省通誌館館長、臺灣省文獻委員會主任委員及彰化銀行董事長等職，而楊肇嘉在當選臺灣重建協會上海分會理事長後，聯合旅滬 6 大團體向國民政府和國民參政會請願，要求撤廢臺灣省行政長官公署，改設臺灣省政府，及任用賢能廉潔之士主持省政，但未獲政府滿意的回應；遂在上海召開記者會嚴厲批評陳儀施政缺失，並因此得罪陳儀，以致國民參政員選舉落選，並被羅織戰犯罪名拘押於上海提籃橋監獄，經林獻堂、吳三連、杜聰明（1893～1986 年）、林呈祿、劉明朝等意見領袖聯名上書請求撤銷楊肇嘉的戰犯嫌疑，而在臺親友其弟楊天賦、彰化李崇禮（1874～1951 年）、石錫勳（1900～1985 年）、甘得中（1883～1964 年）、王毓麟等人聯署陳情，敦促釋放「抗日分子楊肇嘉」，終在繫獄 37 天後始獲保釋出獄。

民國 36 年（1947 年），爆發臺灣 228 事件時，楊肇嘉聯合京滬平津的臺灣人團體組成「228 慘案聯合後援會」，在上海召開記者會要求公布慘案真相、嚴懲陳儀等兇手及改革在臺的種種惡法，楊肇嘉先與其他代表赴南京國民政府請願，提出事變的善後呼籲及建議，並會晤國防部長白崇禧（1894～

1966 年）後，搭國防部專機抵臺調查事變原因，被臺灣省行政長官公署陳儀派武裝憲兵監控軟禁和原機遣返南京，楊氏遂在南京分別召開記者會指控陳儀以武力屠殺良民，駁斥白崇禧詆毀臺灣人的言論，並與閩臺監察史楊亮功（1895～1992 年）展開一個多小時的激辯；翌年（1948 年），楊肇嘉正式離滬返臺定居，開展其從事公職的另番事業。

而林獻堂則於民國 38 年（1949 年）9 月 23 日，以考察日本的經濟和對日貿易，及欲醫治頭眩宿疾為理由，獲准由臺北市松山機場搭機赴日養病，離臺赴日後不歸，直至民國 45 年（1956 年）9 月 8 日，林獻堂病逝在日本東京寓所，消息傳回臺灣引起媒體報導和輿論紛表哀悼，幾經家屬向政府陳請交涉，獲准移靈回臺安葬，楊肇嘉此時仍擔任臺灣省政府委員，兩家不僅有姻親關係，也是日治時代致力於臺灣民族運動推動上的重要戰友，因此，他擔任林獻堂葬禮公祭的副主任委員，並與林獻堂夫人楊水心（1882～1957 年）女士及長子林攀龍（1901～1983 年）、三子林雲龍（1907～1959 年）等家眷護送其遺體回臺中縣霧峰鄉（今臺中市霧峰區）老家安葬，結束其傳奇一生，也象徵霧峰林家逐步淡出

歷史舞台的重心。由此，可看出楊肇嘉對於林獻堂晚年避走
且老死在日本的境遇之同情與惋惜，並基於公義與私交上，
力求情義兩全的努力。

推動藝文能事氣象高

　　透過照片可知楊肇嘉留日讀書時期，曾於明治 44 年
（1911 年）在下課後到音樂學院學過小提琴，但回臺後卻
鮮少看到他重拾琴藝，不過他對藝文的支持和參與熱情，
跟他同時期的檯面上
大人物比起來，幾乎
無人出其右，楊肇嘉
甚至還會跳交際舞，
根據其四媳婦楊陳秦
的描述，民國 39 年
（1950 年）他擔任臺
灣省政府民政廳長後，
臺灣省政府主席吳國
楨曾來清水六然居住

楊肇嘉拉小提琴。（蘇
全正／提供）

過一晚，楊肇嘉居然跳起華爾滋和探戈，家人從未聽他說過會跳舞，沒想到身形發福的他，跳起舞來竟腳步輕盈，讓第一次看他跳起舞的眾人均驚訝不已，他自己坦言是日本時代常在臺中喝酒跳舞時學會的，他是受現代教育的知識份子，在日本留學見過世面，對於現代藝文和休閒娛樂內容及形式理當不陌生，相對地對於新穎的事物接受度比較開通，所以他常有引領風氣和開創時代之先的行動，例如他贊助楊清溪（1908～1934 年）飛行士經費，在當時可是創舉。楊清溪是高雄人，跟楊肇嘉沒有血緣或親戚關係，那為何要花費巨資購置高雄號固定翼螺旋槳飛機呢？楊肇嘉的理由無他，就是幫臺灣人爭一口氣，他曾告訴後代，臺灣人學醫、畫畫、音樂，比不過日本人，但飛機可不是人人會駕駛，日本人會開飛機，臺灣人也有人會，那就買一部飛機來讓楊清溪飛看看，頗有互別苗頭的較勁意味。

楊肇嘉對於臺灣青年的資助獎勵可說是不遺餘力，如獎勵青年畫家李石樵（1908～1995 年）最為人所稱道，李石樵師事石川欽一郎（1871～1945 年），昭和 2 年（1927 年）入選第一回臺灣美展，昭和 6 年（1931 年）考入東京美術學

校，昭和 8 年（1933 年）入選日本帝國美術展覽會，昭和 10
年（1935 年）畢業，同年 4 月 19 日在臺中州立圖書館辦理第
一次油畫個展，楊肇嘉專程到場觀賞畫作及合影留念，此後
至昭和 18 年（1943 年）的 8 年之間，李石樵成為清水六然居
的常客，到日本也常借住楊肇嘉在東京的退思莊和在輕井澤
的大潛山莊作畫，曾於昭和 11 年（1936 年）以「楊肇嘉氏之
家族」入選首屆新文展，李石樵與楊肇嘉之間因此有深厚的
情誼，例如民國 49 年（1960 年），李石樵長子李展年的婚
禮即由楊肇嘉擔任證婚人，他也曾資助江文也（1910 ～ 1983
年）、陳夏雨（1917 ～ 2000 年）、郭雪湖（1908 ～ 2012 年）、
張星賢（1909 ～ 1989 年）等，在音樂、雕塑、繪畫、體育上
的創作和發展，並鼓勵文學青年翻譯《紅樓夢》等，如楊肇
嘉在昭和 9 年（1934 年），參與和支援臺陽美術協會的成立，
與畫家陳澄波（1895 ～ 1947 年）、李梅樹（1902 ～ 1983 年）、
楊三郎（1919 ～ 1989 年）、陳德旺（1910 ～ 1984 年）、洪
瑞麟（1912 ～ 1996 年）、呂基正（1914 ～ 1990 年）等有所
往來，與臺陽美術協會的互動持續到戰後，也因此受其支助
或關照的個人或團體無數，所以民國 43 年（1954 年）12 月，

臺北市文獻委員會辦理臺灣美術運動的回顧與前瞻座談會，即邀請楊肇嘉出席與談，顯見對其參與和貢獻的肯定；又如1934 年，在日本學習的音樂家高慈美（1914 ～ 2004 年）、江文也（聲樂）、林秋錦（1909 ～ 2000 年，女高音）、柯明珠（1911 ～ 2002 年，聲樂）、林澄沐（1909 ～ 1961 年，聲樂）等於八月暑期返臺，進行為期十天在臺北、新竹、臺中、彰化、嘉義、臺南、高雄等地的巡迴演出，其中在臺中公會堂的演出，高慈美演奏完畢後，接受楊肇嘉次女湘英的獻花，在高雄的表演結束後，楊肇嘉還陪同鄉土音樂訪問團成員們一起前往壽山遊覽和休憩。

此外，楊肇嘉早年在日本早稻田大學念書時即接觸棒球運動，因此戰後於民國 42 年（1953 年）12 月，早稻田大學棒球隊第一次應邀來臺訪問交流，在臺中比賽時，楊肇嘉等在臺校友親赴球場歡迎及合影；民國 46 年（1957 年）12 月，早稻田大學校長大濱信泉博士親率該校棒球隊來臺舉行友誼賽時，楊肇嘉即陪同遊覽中部日月潭等名勝及到六然居作客，當時他統計早稻田大學在臺校友有 456 人在世，知名校友如臺灣省議會議長的黃朝琴（1897 ～ 1972 年）、臺灣少棒之父

稱號的謝國城（1912～1980年）、其妹婿監察委員陳慶華、
曾任臺北市長的高玉樹（1913～2005年）等人，另根據民國
58年（1969年）10月11日，楊肇嘉還曾捐建全臺第一座私
人捐贈的少年棒球場的報導，可見他對棒球運動相當的支持，
同時熱心於臺日體育交流活動，每年的臺灣省運動會也一定
到場為選手加油打氣。從以上可知，楊肇嘉對於美術、音樂、
文學、體育等人才培育和活動的支持，始終如一，因為他深
知除了透過政治運動為臺灣人爭取權益外，提升臺灣人的文
化水準和素養尤為重要之故。

1953年，楊肇嘉（二排中）接待早稻田大學棒球隊。（清水六然居楊肇嘉留真集，
林景淵／提供）

楊肇嘉在家中安排南管演奏接待早稻田大學訪客，立者左三圖校長大濱信泉。（清水六然居楊肇嘉留真集，林景淵／提供）

與佛有約

　　楊肇嘉似乎沒有特定宗教信仰，雖然清水當地主要信仰是紫雲巖觀世音菩薩，但人面對人力所不及且無可奈何之際，至少會相信有老天和神明的存在與精神撫慰的力量。楊肇嘉的四媳婦回憶在戰前上海時期，他為了其四子因病住院，不料病情惡化，醫生也束手無策時，在孤立無援之下，楊肇嘉向神明祈求許願，果然精誠所至，其子病情不再惡化，保住性命。因此，楊肇嘉自此早晚出門和回家第一件事情就是先

拜觀音媽（臺灣民間對佛教觀世音菩薩的稱呼，或稱觀音佛祖）、神明、祖先。另從兩幀1960年代中期前所拍攝名為「苗栗法雲寺楊肇嘉家族祈福法會」的照片中顯示，除楊肇嘉、張碧雲夫婦外，尚有三妹婿李君晰、長子楊基椿、林淑珠夫婦及長女婿吳金川、長女楊湘玲夫婦參加。佛教祈福的儀式，包括替往生者追薦冥福及陽世親屬的健

清水紫雲巖三寶佛殿內立法委員蔡萬才題字門聯。（蘇全正／攝）

康延壽祈福等方式，因此對象可能除了其養父母外，尚包括戰前早逝的三子和二女兒及戰後於 1957 年盛年而逝的二子，尤其是幫他最掛念的四子延壽祈福。其實在此之後，長子於1965 年病故，翌年其妻張碧雲也過世，此時楊肇嘉亦已臻不逾矩之年，而一直跟他住在六然居得到良好照料的四子則在1976 年楊肇嘉逝後一年，因病過世。

楊肇嘉與苗栗大湖法雲寺之間的法緣來由為何？已無從

苗栗法雲寺楊肇嘉家族祈福法會。（引自張炎憲、陳傳興主編，《清水六然居——楊肇嘉留真集》，臺北：財團法人吳三連臺灣史料基金會，2003 年）

查考，位於苗栗縣大湖鄉富興村法雲寺 11 號的觀音山法雲禪寺，為日治時代臺灣佛教四大法派之一，係由福建鼓山湧泉禪寺來臺的覺力法師（1881 ～ 1933 年）與其在臺弟子妙果法師（1884 ～ 1963 年）兩師徒於 1913 年所創建的名剎。妙果法師在戰前曾入日本佛教曹洞宗僧籍和受聘為該宗臺灣佈教師，及擔任南瀛佛教會理事，並於中壢創建圓光禪寺、臺中市興建大覺法堂（今臺中市大覺院），同時兼任后里毘盧禪寺住持，受聘為法藏寺、慈航寺、圓通寺導師，其中后里毘盧禪寺的創辦人覺滿老人林氏月嬌即出身霧峰林家下厝，嫁與臺中神岡三角仔筱雲山莊呂厚庵，其夫過世後率四女妙塵、妙觀、妙識、妙湛，及兩姪女妙本、妙偏，禮苗栗大湖法雲寺覺力老和尚為師，1930 年毘盧寺落成，

以覺力法師為開山祖師。楊肇
嘉與呂家後代熟識且有來往，
也與霧峰林家有姻親關係，而
妙果法師於 1944 年曾赴霧峰
林家創建的霧峰青桐巖靈山寺
講經，林獻堂（1881 ～ 1956
年）與其弟林階堂（1884 ～
1954 年）親自前往靈山寺聽
講，因此，楊肇嘉是有機會認
識和進一步接觸大湖法雲寺的
可能性。

　而民國 49 年（1960 年），
妙果法師因年邁退休，眾議結
果同意禮聘同為覺力法師的剃
度徒大甲永光寺開山妙然法師
（1915 ～ 1996 年）接任大湖

法雲寺朱文方印。（蘇全正／提供）

法雲寺入口吊橋。（蘇全正／提供）

法雲寺第三任住持；妙然法師，法名騰舟，字妙然，俗姓周，
名紅，臺中大甲人，1940 年創建大甲永光寺，並兼任臺中市

后里毘廬禪寺。（蘇全正／攝）

慎齋堂的佛學講座講師，而與慎齋堂張月珠（1903～1968年，德熙法師）熟識。1952年，慎齋堂堂主張月珠禮請妙然法師出任臺中佛教會館第二代住持。張月珠出家前即與林獻堂熟識，且與靈山寺同屬基隆月眉山靈泉禪寺法脈，再者就時間點和地緣關係而言，妙然法師於1960年接任法雲寺住持，加上又是臺中大甲人，楊肇嘉可能因此才會到法雲寺做家族的祈福法會，若與林獻堂相較起來，林獻堂晚年積極參與霧峰

靈山寺的經營管理，亦開始涉獵佛教典籍，戰後流寓日本養病期間，在其結集和親友故舊往來詩文出版的《東遊吟草》中，越見其心境與在佛法上的領悟，也是陪伴和支撐如學者所謂其「為臺灣守節」的苦楚歲月之最大的力量和慰藉，但楊肇嘉對於宗教的認知和體會是否有更進一步，則無從得知，或許是戰後彼此際遇和處境不同的緣故吧。

妙果法師墨寶。（蘇全正／攝）

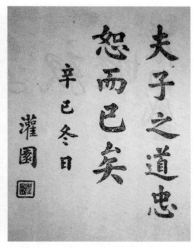

林獻堂墨寶。（蘇全正／攝）

戰後遷徙至臺中市南區的靈山寺。（蘇全正／攝）

第四章 Chapter 4

紫氣東來　斯人斯文

　　在社口庄楊宅建築群是坐西朝東的方位，靠北側龍邊
的宅邸，是日治時期所增建為楊肇嘉的宅邸，雖然挺過 20
世紀 1935 年、1999 年兩次芮氏規模 7.1 級以上的地震，但
已於民國 99 年（2010 年）被拆除無存，其原本西式風格洗
石子的門額，題寫著「紫氣東來繞畫堂」，乍看之下氣勢

清水紫雲巖。（蘇全正／攝）

王達德書寫「六然居」刻石。資料來源：《清水六然居 – 楊肇嘉留真集》，吳三連台灣史料基金會，2003 年。（蘇全正／提供）

輝煌，其實是寓意楊宅面對東邊清水街區的鰲峰山麓和紫雲巖觀音廟的意思，但因其宅面積狹長，空間不足，好客的他遂在楊宅頂厝與下厝之間起造日後的生活起居休閒的庭園「六然居」。昭和 12 年（1937 年）六然居房舍落成，擇取《菜根譚》中「自處毅然、處人藹然、有事嶄然、無事澄然、得意冷然、失意泰然」的古訓為座右銘惕勵自己，

並作為庭園名稱，同時延請曾擔任霧峰林家頂厝林獻堂的末代祕書書瘦鶴王達德書寫「六然居」及刻石立碑，因而自號六然居士，以況心境。其一生親手打理六然居的庭園布景和植栽，也是接待黨政要員及賓客的地方，留下諸多

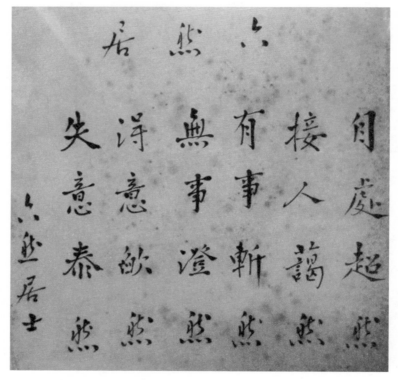

六然居士書墨。（蘇全正／提供）

身影和記憶，不料民國 80 年代（1990 年代），因外環道路
（今臺一線清水區中華路段）開闢之故，造成六然居的土
地被徵收後拆除無存。

文章千古事

　　日治時期面對日本殖民統治的高壓政策和諸多限制，
傳統知識分子為延續清代文人的吟興雅致，以詩會友的交
際應酬方式，使得詩社、文社的結社及聯吟或徵文活動在
日治初期仍極為盛行，背後也具有抗日的民族志節和消極
抵抗不服從的思緒，在當時顯得異類而突出，甚至引起第
四任臺灣總督兒玉源太郎（1852 ～ 1906 年）、民政長官後
藤新平（1857 ～ 1929 年）的注意，為攏絡這些在地方有影
響力的傳統社會領導人物，遂於明治 33 年（1900 年）3 月
5 日，合力在臺北淡水館（清代登瀛書院）召開為期兩天的
「臺灣揚文會」，邀請在臺具有前清科舉進士、舉人、貢生、
廩生功名者，共 151 人參加盛會，最終計有 72 名與會，就
三道策議題目：修保廟宇、旌表節孝、救濟賑恤，以八股
文形式書寫，作為對臺灣總督的施政提出建言，並將內容

結集出版，此舉也影響在臺日人不僅有參加臺人詩社活動，甚至自行結社吟詠和出版漢文詩集的情形，至於和他同時代受現代化教育的知識分子們，則較少參與傳統詩社或文社的聯吟活動，日治時期參與傳統詩社、文社活動的文人，基本上是有前清科舉功名者，如參加中部櫟社的潭子傅錫祺、清水陳基六、臺中樹仔腳林耀亭等都是清末秀才出身，其次是當時大家族的富二代，受書香門第傳統或家學淵源薰陶的影響，產生興趣或當作另番上流社會交際應酬場合，而參加詩社活動者，如霧峰林家下厝林癡仙（1875～1915年）、林幼春（1880～1939年）、頂厝林獻堂、吳鸞旂（1862～1922年）獨生子吳子瑜（1885～1951年）、林子瑾（1878～1956年）、清水蔡惠如等都是櫟社會員。至於楊肇嘉的父執輩多人是清末縣學、府儒學的邑生、廩生，文風鼎盛可說是文教世家，尤其他追隨蔡惠如腳步參與臺灣議會期成同盟活動，加上有姻親關係的霧峰林家，林獻堂等人都是櫟社的核心成員；蔡惠如是在明治39年（1906年）加入櫟社，陳基六（1867～1935年）則是翌年（1907年）正式入社，難道兩人參加詩社對楊肇嘉沒有產生吸引力或

興趣？而他本人是否有參加過詩社或文社的活動？有無留下詩文作品？一直以來大家都試圖想要了解。透過既有的文獻資料爬梳結果，發現曾擔任櫟社社長的潭子傅錫祺在《鶴亭詩集・櫟社沿革志略》的紀錄中明確提到大正 7 年（1918 年），牛罵頭（清水）陳基六、蔡惠如與其鄉友創立的鰲西詩社，準備召開大會；因此，由蔡惠如倡議召開櫟社、鰲西詩社的聯合會。9 月 21 日，聯合會在牛罵頭街蔡惠如家的伯仲樓舉行，代表櫟社的會員有傅錫祺、林幼春、蔡惠如、陳基六、陳槐庭（1877 ～ 1940 年）、莊伊若、陳聯玉等 11 人，鰲西詩社的社友包括楊肇嘉、楊丕若、楊煥章、蔡詒祥、蔡念新、鄭邦吉、周步墀、李玉斯等人，加上邀請來的客人有新竹鄭養齋、鄭虛一、林榮初、張息六、張鏡村、曾寬裕，及臺中的黃爾竹、陳若時等，總計有 30 人與會，由此可知，楊肇嘉有加入鰲西詩社，其叔父楊丕若也是社員。

當日聯吟詩題有「盆松、電燈、步月、紅葉」等，會中蔡惠如深深感慨「漢文將絕於本島」，所以倡議要設法維持，由此，遂於同年（1918 年）由蔡惠如、林幼春、林子瑾、

櫟社創立三十周年紀念詩箋。（蘇全正／提供）

傅錫祺、陳滄玉、林獻堂、陳基六、陳懷澄、鄭汝南、陳聯玉、莊伊若、林載釗12個人發起創辦臺灣第二個文社「臺灣文社」（1918～1926年），並由林子瑾捐資出版鄭汝南主編的《臺灣文藝叢誌》，於大正8年（1919年）1月1日發行第1號，而臺灣文社的社址位於臺中廳臺中花園町五丁目五六番地，登載的聯絡電話

開設大生藥房的陳基六會員名簿。（蘇全正／提供）

即借用林子瑾公館的電話號碼415番，此發起活動楊肇嘉並未列名其中，他是於大正7年（1918年）7月19日正式

加入文社。

　　我們無法得知楊肇嘉在前述櫟、鰲聯吟會上是否有詩作留存，比較有可能是鰲西詩社的會員間聯吟詩鈔，或許多少會有楊肇嘉作品存在的可能性；以鰲西詩社的靈魂人物陳基六而言，其本名陳錫金，字基六，光緒年間邑諸生，行醫，在當地開設「大生藥房」，為中部櫟社會員；鰲西詩社是在 1907 年創立，陳氏原著有《鰲峰詩草》詩鈔，於 1920 年脫稿，並專程北上請託在 1909 年也加入櫟社，當時正就職於板橋林家的連橫（1878 ～ 1936 年），為其詩鈔所寫之〈鰲峰詩草序〉，但後來並未及付梓，其遺稿已散佚無存，惟連氏所寫的序文收錄在其《雅堂文集》中，另《櫟社第一集》錄有陳基六《鰲峰詩草》36 首詩作。因此，無法確知陳基六《鰲峰詩草》中是否錄有鰲西詩社會員間聯吟的作品，或許就有收錄楊肇嘉的詩作。

　　目前蒐錄到楊肇嘉的詩作計有〈恭賀蔡年亨君令堂陳太孺人五十榮壽〉兩闋如下：

　　畫荻和熊願已酬，家駒新譽起東球。

瑤池且喜觥稱兕，金闕待看杖錫鳩。

壽比鰲頭山不老，清如龍目井長流。

慈姑菽水承歡日，婦道能兼子職修。

佛前一瓣蒸心香，禱雨精誠格彼蒼。

綽楔貞名昭日月，摩笄清操屬冰霜。

桐琴柯笛長生曲，荔譜茶經不老方。

翹首太和堂外望，婺星光照壽星光。

　　此為楊肇嘉難得的詩作，也可看出他力圖改善蔡、楊兩家關係的努力；蔡年亨（1889～1944年），是清水蔡泉成號的後代，曾任清水街協議會員、臺灣民報社重役（じゅうやく董事）、清水帽蓆同業組合長等職，1923年治警事件時被判罰金100円，昭和10年（1935年）當選清水街協議會員，後又被任命為臺灣都市計畫臨時委員、臺中州稅務課郡部所得調查委員。

　　其次，楊肇嘉是臺灣文社的會員，所以在大正8年（1919年）4月1日，出版的《臺灣文藝叢誌》第四號徵詩作品中，楊肇嘉有2首分別是獲得第12名的七言絕句：

〈李斯〉

能輔嬴秦肆括囊，不知劉漢竟稱王；

即今玉璽成無用，枉費當年作篆忙。

及獲得第 19 名的七言絕句：

〈李斯〉

陰謀狡計帝秦嬴，詔矯沙丘亂兆萌；

誤國豈惟身自誤，又波餘罪及苟卿。

另外 1 首七言絕句則是收錄在大正 11 年（1922 年）9 月 30 日，出版的《臺灣文藝叢誌》旬報第 9 號徵詩作品中，楊肇嘉獲得第 20 名：

〈苦熱〉

扇不停揮汗似珠，困人天氣逼吟鬚；

欲裁詩句煩兼渴，安得酴釀酒百壺。

　　而七言律詩共得 3 首。第 1 首是收錄在大正 10 年（1921
年）1 月 15 日，出版的《臺灣文藝叢誌》第 3 年第 1 號第
22 期徵詩作品中，獲得第 15 名，其詩如下：

　　　　〈秋霖〉

　　金風蘭瑟動盆傾，三日為霖霽霖呈；

　　宋玉感時悲白髮，商臣用汝慰蒼生。

　　膏流田畝秋將熟，潤滴梧桐夜有聲；

　　遍野泥濘苔滑滑，農人相慶報西成。

　　另 2 首是收錄在大正 10 年（1921 年）5 月 15 日，出
版的《臺灣文藝叢誌》第 3 年第 5 號第 27 期徵詩作品中，
楊肇嘉分別是獲得第 6 名的：

　　　　〈種芭蕉〉

　　弓形百子落多時，旁茁新芽好護持；

祇恐暴徵風力大，卻因瀟灑雨聲遲。

移從庭外紅初捲，插向窗前綠不支；

待到亭亭張翠幄，涼侵竹院午陰披。

及獲得第十五名的七言律詩：

〈種芭蕉〉

翻風戰雨已多時，移植窗時恰最宜；

耡遍螺紋深淺認，悟來鹿夢是非遲。

靈苗插處搖青影，新葉抽餘淡綠姿；

好待碧紗分映日，一天粉本畫王維。

這是在《臺灣文藝叢誌》中僅得的 6 首七言絕句和律詩，其詩趣較寫實而不旖旎，因言之無物並非其所擅長。至於楊肇嘉最具特色和擅長的文章是散文策論寫作，言中有物，條理清楚，洋洋灑灑，頗能抒發其胸臆抱負於微言之中，因此在《臺灣文藝叢誌》的徵文中，迭見佳作，茲彙整如下：

楊肇嘉投稿《臺灣文藝叢誌》徵文一覽表

日期	期數	題名	名次
1920 年 9 月 15 日	2 年 5 號	第 19 期徵文：文翁治蜀論	7
1921 年 1 月 15 日	3 年 1 號	第 22 期徵文：讀過秦論書後	6

資料來源：整理自國立臺灣圖書館，日治時期期刊影像系統，http://stfj.ntl.edu.tw/
cgi-bin/gs32/gsweb.cgi?o=dpjournal&s=id=%22jpli2009-pd-sxt_0705_55_v002n005-0003_
no03_j%22.&searchmode=basic，搜尋日期：2018 年 8 月 27 日。

日期	期數	題名	名次
1921 年 1 月 15 日	3 年 1 號	第 22 期徵文：讀過秦論書後	7
1921 年 3 月 15 日	3 年 3 號	第 24 期徵文：漢高祖光武帝合論	5
1921 年 4 月 15 日	3 年 4 號	第 25 期徵文：趙佗據南越論	1
1921 年 8 月 15 日	3 年 8 號	范蠡張良合論	2

這是在《臺灣文藝叢誌》中僅得的 6 篇獲得名次的散文，其文筆析論精闢，文義則懷抱淑世之志，文亦不矜才使氣，具雍容儒雅之風。此後因參與臺灣議會期成同盟活動，

　　及家務操持而未再參加徵詩。茲引錄其獲得第一名的作品〈趙佗據南越論〉如下：

〈趙佗據南越論〉

　　七國之反也。以誅晁錯一人為名。南夷之叛也。以罷長沙兩將軍為請。然彼以周親。此以外臣。彼以眾力。此以獨舉。彼因景帝之削其地。而兆其謀。此因高后之削其籍。而生其釁。同一反也。一則恃眾。一則恃險。究之。七國本有躍躍欲試之端。南夷初無耽耽虎視之意。其所以割據一隅。僭稱帝號者。蓋亦有不得已之勢也。當趙佗之寇長沙也。實疑長沙王有譖。致令高皇后別異蠻夷。不與南粵以金鐵田器。而馬牛羊之供給者。僅予以牡。不予以牝。計絕畜類之蕃滋。以礙兵農之利用。且風聞昆弟親族。俱已誅論。父母墳墓。亦已壞削。怨及先人。誅連昆季。是以不得已出此絕策。以寇其邊。自帝其國。非敢有害於天下。審若是。是漢之先自絕於越。非越之敢有負於漢也。原夫高祖時天下初平。佗繼任囂竊據南海。自立為南粵武王。

地廣數千里。帶甲百餘萬。據險自固。足以抗中國而
有餘。而乃憑一使之臨。遂即稱臣奉約。願為外藩。
處南海四十九年。生子抱孫。未敢有異志。其臣服於
漢亦可知矣。逆溯文帝以前。以至孝惠。恩賜有加而
佗永安臣節。順觀文帝以後。及乎孝景。通使如故而
越長為藩臣。以視七國諸侯王。在文帝時。已有不堪
為賈生痛哭者。特文帝優容。故隱而未發。至景帝時。
而群為謀反矣。此其相去不知幾何耶。嗟乎激而生變。
南人本無反叛之心。諭則來降。南服遂去僭稱之號。
文帝一紙書。賢於十萬眾。其亦猶賜吳王濞几杖之意
也。匹馬南來。褚衣下賜。謙恭德意。大哉王言。此
越所以感激賢天子之恩。永修貢職。而不敢復萌不臣
之念。是雖漢文之善於柔遠。陸賈之善於說詞。要亦
趙佗之善於求全焉耳。

擔任本期徵文的詞宗是臺中的王竹修，他對於楊肇嘉

這篇散文的評語是「胸有靈犀，手無笨筆，旁搜曲引，適合機宜。首末二段鍊句，盡成珠璣，文壇健將也。」故評予第 1 名榮銜；而此期徵文，其弟楊天賦亦獲得第六名佳績，表現不錯。而楊肇嘉除了在《臺灣文藝叢誌》投稿外，還在臺灣第一個文社彰化崇文社發表散文策論之作，彙整如下：

楊肇嘉文章發表在彰化崇文社刊物一覽表

刊物／期數	篇名	評語
《崇文社文集》第 2 集	〈戲劇改良論〉	1. 起筆極言戲劇之弊害，為改良伏線中以四大端，斷言改良之必要，入後又以改良為有益世道人心，如題抒寫確切不浮，而且詞意警鍊，步武整齊，聲調協和，允推合拍。 2. 平列四大端，極言戲劇之不可不改良，推勘盡致，妙緒環生。

刊物／期數	篇名	評語
《崇文社文集》第2集	〈戲劇改良論〉	1. 前半就古今戲劇之良否，夾敘夾議，識見高超；後半將改良之要法，歷歷寫出。語有把握，筆無滯機。而教女為優，無異教女為娼一語，猶足抵人千百。 2. 識超氣盛，褒貶得中，非文壇健將，安有此傑作。

刊物／期數	篇名	評語
《崇文社文集》第2集	〈禁治產實施論〉	1. 以戶籍令登記，所引起本題，已覺潛龍欲現，中就法令逐一闡明，俾法理了然心目。末段拍出實施神采，見得禁治產大有益於吾人，引領而望督府實施，為三百餘萬同胞請命，有功社會不少；至若文法之結構，筆機之流暢，尤其餘事耳。 2. 禁治產之條規及效果，論來透澈無遺；而於禁治產中，側重浪費蕩子立論，尤為切中時弊。蓋盲啞等病之人希有僅見，而是等之人則隨在皆有也。文之端莊流麗，殊為有目共賞。
《崇文社文集》第2集	〈家庭副業獎勵策〉	1. 用意則層出不窮，行文則巨細畢此。準此以行，何患家之不興，國之不振。 2. 三綱領八條目，說得纖細無遺。

刊物／期數	篇名	評語
《崇文社文集》第2集	〈文明說〉	1. 意到筆隨，自是爐火純青之候。 2. 究文明之真相，足使假文明者，膽破心寒。
《崇文社文集》第2集	〈文明說〉	1. 思入風雲變態中。 2. 說理精詳，措詞英挺。
《崇文社文集》第2集	〈論男兒愛國之精神〉	1. 老氣橫秋，雖著墨無多，而題之神理獨見完足，故佳。 2. 簡潔老到，題蘊畢宣；文之，能以少許勝人者。
《崇文社文集》第2集	〈無君子莫治野人無野人莫養君子〉	1. 詞意明晰，如初寫黃庭，恰到好處。 2. 將君子、野人融為一氣，意思周匝，筆致渾成。
《崇文社文集》第2集	〈言行一致說〉	1. 筆酣墨飽機暢神流，按之題分，亦復絲絲入扣，非醞釀功深，那有此游行自在。 2. 嚼墨一噴淋漓滿紙，學深養到名論不刊。

刊物／期數	篇名	評語
《崇文社文集》第2集	〈言行一致説〉	1. 氣象光昌，詞旨充沛，中後以古今政治闡發題際，眼光四射，筆大如椽。 2. 識高筆健，慮周藻密；後幅亦頌揚得體，自是不凡。
《崇文社文集》第3集·卷5	〈漢學起衰論〉	1. 漢學之興，在人不在天，苟有志，天亦退處無權。誠哉是言，漢字對外看出惟此篇，道及三策亦言之成理，卓見不群。 2. 行文如天馬行空，運筆如游龍矯海，立論措詞亦語語切當，煌煌大作可為漢學增光。
《崇文社文集》第3集·卷5	〈表彰忠孝節烈議〉	1. 忠孝節烈為天下之最悲最苦，固人難能；但天經地義所不容逃，必表彰之，庶可留正氣，而保國粹的是不易之言。通篇一氣呵成，反覆證辨，文陣縱橫，筆機流利，直足為天下後世勸。

刊物／期數	篇名	評語
		2. 忠孝節烈寫得絕大關係，愈見表彰之不可忽行。文運筆妙有曲折，妙有波瀾不落平庸，一路煞是可取。
《崇文社文集》第 3 集·卷 5	〈諱疾忌醫論〉	1. 筆意沉摯，議論縱橫，唧接處嚴密無縫，想見功候深純，有彈丸脫手之妙。 2. 精心結撰，題蘊縕畢宣。其文氣有如秋潮，千里一往，莫禦之勢。
《崇文社文集》第 3 集	〈花柳病妨害人種論〉	1. 首段虛籠大意，比擬精切；轉入題處，恬吟詠密題蘊畢宣，入後痛念時艱，發聵振聾，意義周匝而竟體。詞筆亦復清華朗潤，弓燥手柔是爐火純青候也。 2. 首段從人種提起，引喻入題，取徑獨別。中後痛陳花柳病之害，殊足令人寒心，文字之佳尤屬餘事。

刊物／期數	篇名	評語
《崇文社文集》第3集	〈彰化八卦山記〉	1.山得人以傳勝，人得山而樂遊，諸般名勝情景如生，語約言賅，好整以暇，進乎技矣。 2.人以地傳，地以人著。作者能從此意發揮確是老手，中間文勢浩蕩，大有慷慨悲歌之意。

資料來源：整理自國立臺灣圖書館，日治時期期刊影像系統，http://stfj.ntl.edu.tw/cgi-bin/gs32/gsweb.cgi?o=dpjournal&s=id=%22jpli2009-pd-sxt_0705_151_n122-0014_no14_c%22.&searchmode=basic，搜尋日期：2018 年 8 月 27 日。

刊物／期數	篇名	評語
《崇文社文集》第3集	〈舊慣取捨論〉	1.堂堂正論，言簡意賅。所舉取捨諸大端，極為得體。 2.當取則取，當捨則捨，振筆直書俱見公允。
《崇文社文集》第3集・卷5	〈婦女服裝分別論〉	1.筆致靈動，詞旨圓湛。立論亦深中肯，繁巾幗中所當奉為金鑑。 2.思精筆銳，入木三分。

刊物／期數	篇名	評語
《崇文社文集》第3集·卷6	〈筆孽說〉	1. 有語皆醇，無筆不雋。末段數語尤足書紳。 2. 機靈敏詞、旨圓，湛有道之言，尤足為士人取則，不徒以詞華見長也。
《崇文社文集》第3集·卷6	〈惡訐為直說〉	1. 細玩通篇段落似乎無跡，又似乎有痕，一氣呵成，自首至尾以直起，以訐終。其間筆陣縱橫，繪神活躍，允推傑作。 2. 步驟井然不紊，題旨透澈無遺，此木雞養到時也。

以上共得19篇策論散文，集中在大正10年（1921年）前後之間發表，大皆為實學之論，足見其識見寬廣，為文具振聾發瞶之撼，發人省思，誠為佳作，備受肯定；茲引其〈彰化八卦山記〉全文如下：

> 大地名山。不經名人之點綴。則山川之名勝不彰。亦猶學士文人。不經月旦之品評。則名與草木同朽。彰化東門外。有山巍然。顏曰八卦。名之以其形也。草

昧未闢以前。特一坯培塿耳。與群山何異。自倪公建
亭於此。而山遂顯名於世。蓋得人工為多。行人過此。
見夫有亭翼然其上者。僉曰此八卦山也。至陳匪作亂。
亭燬於火。而山之風景一殺。迨楊公桂森。來宰是邑。
建定軍寨於山巔。日夜巡邏。駐一防汛。則此山又為
全台之中樞。東門之鎖鑰矣。百餘年間。資以捍禦。
古所稱重鎮雄關。不是過也。然而興廢靡常。舉目有
河山之思城郭非舊。興思嗟陵谷之移。向之易亭而寨
者。今易易寨而碑矣。片石巍峨。轟太空而屹立。樹
木蓊翳。遮赤日以無光。加以泳水有池。春可修禊。
坐月有亭。夜可邀杯。極匠心之巧造。添風景於崇阿。
登斯山也。有目曠神怡。樂而忘悲者矣。又況東望新
高。經年積雪。此中其有豹隱乎。西望鹿港。數點歸
帆。是處其有釣徒乎。大肚山在其北。一北固之雄也。
濁水溪界其南。一長江之險也。四境形勝。盡在目前。
登山者咸起壯心焉。雖古月井空。無復胡公之跡。而
紅毛井在。尚留荷鬼之蹤。撫景盤桓。猶足供遊人之
懷古。是又巧造是山者之意匠也。夫巉巖萬仞。不及

一卷之多。壁立千層。何以一坵之美。

台灣不少高山。而皆泯沒無名於世者。以不得其地則
不貴。不得其人則不名也。然則斯山也。其亦幸而生
於通都大邑之中耶。且亦幸而出於名公巨卿之手耶。
辛酉涼秋九月。崇文社以此山紀勝。廣徵海內珠玉。

資料來源：整理自國立臺灣圖書館，日治時期期刊影像系統，http://stfj.ntl.edu.tw/cgi-bin/gs32/gsweb.cgi?o=dpjournal&s=id=%22jpli2009-pd-sxt_0705_151_n122-0014_no14_c%22.&searchmode=basic，搜尋日期：2018 年 8 月 27 日。

僕不敏。援筆記之。未足以潤色此山也。亦聊以誌其
勝云爾。

這篇文章把中部名勝彰化八卦山的歷史沿革、風光景
色、地理方位詳實記述，實為當代地方學最佳的書寫紀錄，
深具人文特色與參考價值。

此外，楊肇嘉也在其它刊物發表過文章，茲將之綜合
整理如下：

楊肇嘉文章發表刊物一覽表

大地名山不經名人之點綴則山川之名勝不彰。亦猶學士文人不經月旦之品評則名
與草木同朽。彰化東門外有山巍然顏曰八卦名之以其形也草昧未闢以前特一坵培
塿耳與崑崙山何異。自倪公建亭於此而山遂顯名於世。蓋得人工為多行人過此見夫有
亭翼然其上者僉曰此八卦山也至陳匪作亂亭燬於火而山之風景一殺。迨楊公桂森
來宰是邑建定軍寨於山巔日夜巡邏駐一防汛則此山又為全台之中樞東門之鎖鑰
矣。百餘年間資以捍禦古所稱重鎮雄關不是過也。然而與發嶺常舉目有河山之思
郭非舊興思嗟陵谷之移向之易亭而寨者今為易寨而碑矣。又況東望新高經年積雪此中其
樹木翁鬱遮赤日以無光加以泳水有池春可修禊坐月有亭夜可遨抔極匠心之巧造
添風景於崇阿登斯山也有目瞻神怡樂而忘悲者矣。庀石巍峩矗矗太空而屹立
有豹隱予西望鹿港數點歸帆是處其有釣徒乎大肚山在其北一坵固之雄也濁水溪
界其南一長江之險也。四境形勝盡在目前登山者咸起壯心焉是又巧造是山者之意
之迹而紅毛井在尚留荷鬼之蹤獨景盤桓猶足供遊人之懷古月井空無復胡公
匠也夫巉巖萬仞不及一卷之多。壁立千層何似一坵之美台灣不少高山而皆泯沒無
名於世者以不得其地則不貴不得其人則不名也。然則斯山也其亦幸而生於通都大
邑之中耶且亦幸而出於名公巨鄉之手耶。辛酉涼秋九月崇文社以此山紀勝廣徵海

事其關係於國家之風教及生產率者甚大。不可不加意而預防也試一參照於明治三十八年野田防疫課長所調查其全國患花柳病者總數不下六十萬人即以是為根據其間如因此病而廢時失業者或因此病而消耗藥資者且或因此病而身體不具者或眼目盲壞者或因之失時不得配偶者或因之生于不能養成者更或患梅毒者之小兒多為死胎甚或傳染女子多為不姙之症種種妨害危乎其危明眼人當自能知之而能辨之而且試自我臺現際之花柳病觀之覺日有增而無減核其原因蓋起於審賣淫者之難於查悉故其防害遂難以革除於是英雄白骨有之而美人黃土者又有之而所謂大和魂之國民亦殆恐銷磨鏃滅蕩焉無存人生實難雖軼其尤愧回有望難東國鈞嗚呼噫嘻天痘黑疫虎烈諸病殺人甚速而至於花柳諸癉害人種者而乃淡馬漢馬視若無睹焉非計之得也因是不得不思愚豫防爰就前人之所經驗者心所謂危因參錄應募以為熱心於人道者千慮一得之響言有識者殆不以河漢也夫

新舊合參是時代過渡文字洒洒近于千言而層次分明歩武不亂亦未易才

　尤養齋拜讀

彰化八卦山記

關發題旨透闢無遺筆亦揮洒自如是新舊藥有兼得者

　翰堂拜讀

　大甲楊肇嘉

〈彰化八卦山記〉。（引自《臺灣文藝叢誌》暨其文人社群作品集，http://lgaap.yuntech.edu.tw/literaturetaiwan/wenyi/main.html，搜尋日期：2018年8月27日）

147

六然居舊址現況。（蘇全正／攝）

日期	刊物／期數	篇名	頁次
1918 年 4 月 1 日	《臺灣教育會雜誌》第 190 期（漢文報）	〈論宜培植子弟〉	4-5
1918 年 5 月 1 日	《臺灣教育會雜誌》第 191 期（漢文報）	〈送別基印先生〉	10
1918 年 6 月 1 日	《臺灣教育會雜誌》第 192 期（漢文報）	〈春日偶成〉	7
1918 年 6 月 1 日	《臺灣教育會雜誌》第 192 期（漢文報）	〈再步基印先生留別原韻〉	7
1935 年 4 月 8 日	《臺灣米報》第 59 期	〈米穀自治管理案反對理由〉	6-7
1936 年 2 月 2 日	《詩報》第 122 期	〈嚴子陵〉	10

　　由以上楊肇嘉所發表撰述的文章內容屬性，與他的務實個性相符，不作無病呻吟和無謂的虛文，而且他是積極的行動派，勇於承擔和挑戰，詩詞文章對他而言不是不能，或為與不為的選擇，過度沉溺和強調紫山明水的詩境吟詠的樂趣，也只是消極苟且的態度，重點在於無濟於當時臺灣在日本殖民統治下的文化困境和問題解決，而這或許是他絕少參加其他詩社擊缽聯吟活動的緣故，也是其展現出

異於同時代的知識份子或檯面上知名仕紳最特別的地方。

晚年的《回憶錄》掀波

　　楊肇嘉有寫日記的習慣，根據他四媳婦楊陳秦的描述，他都把日記寫在桌曆上，記錄的很清楚，每天的開銷支出，一筆一筆條列清楚，家中財務一手打理，終究他早期留日時是學商的，數字觀念很清楚，絕不馬虎，因此六然居留存楊肇嘉諸多整理完善而豐富的珍貴史料；此外，他對外人一向很慷慨，從事政治運動、藝文贊助絕不落人後，但自己卻是日常生活很節儉的人，自奉儉樸，教導子女、兒孫也是嚴格要求不可隨意浪費，吃飯連一顆米粒都不准浪費。所以許多人認為他不善理財，任何投資都是虧損坐收，恐怕是誤解，其實是他個性不與人爭利，對股東、員工照顧有加，往往負責善後的處理至妥當為止，足見其待人有情有義，為人處事厚道之故。若以此看來，具長者風範，宅心仁厚，處事圓融的楊肇嘉，卻是個性耿直富正義感，直言敢說，也就不免會引人嫌惡或在意他的話所具有的「份量」，尤其晚年出版了《回憶錄》，這在民國 50 年代的戒

嚴時期，可是一件驚天動地的舉措，而他又是當時少數經歷日本殖民統治和國府時代，仍活躍在政治舞台上的臺籍菁英，動見觀瞻可想而知。

民國 56 年（1967 年），楊肇嘉的《回憶錄》由臺北市三民書局出版，沒想到引發議題和暢銷一空，翌年即行再版，但隨之而來的是其部分內容和表達方式，造成反彈和批評。首先來自家族內部，其弟楊天賦反彈特別強烈，認為其書中寫到不尊重父親楊澄若的話，沒有其父親的庇蔭，哪會有他今天的成就等語，強烈指責楊肇嘉忘恩負義，甚至因文中提到清水蔡家，除了蔡惠如較出類拔萃之外，其他的人就表現平凡，遂進一步欲聯合蔡家後代逼迫楊肇嘉道歉及令三民書局收回出版流通的書，甚至跑去告訴楊逵，楊肇嘉的四子曾說楊逵是共產黨這件事，楊逵還特地去找楊肇嘉的二妹婿李君晰，問明有無此事。《回憶錄》事件也造成楊天賦自此不與楊肇嘉往來，直到他過世，才去靈前弔唁。楊天賦是楊澄若側室黃吉所生的親骨肉，楊肇嘉對他也是照顧有加，分家產的時候也是楊天賦分到較多，楊肇嘉並未計較，所以《回憶錄》風波，為避免事態擴大和趨

於複雜化，楊肇嘉聽從家人建議先離開清水，北上臺北暫時遠離各方壓力，直到農曆 3 月初 3，因「古清明」始回到清水祭祖，並將楊天賦和蔡家的來信拿出在歷代祖先靈前，公開念出；「若我講了有過失的所在，請祖先責備我」的話，形式上是回應了楊天賦要求他在祖先面前道歉的訴求。

但根據已故張炎憲（1947～2014 年）教授的研究指出，《回憶錄》並非他本人獨自完成，而是前後出自多人之手；最初是民國 39 年（1950 年）因「和平宣言」案繫獄 12 年的文學家楊逵（1905～1985 年）甫假釋出獄之時，由剛離開政壇的楊肇嘉出面收容和接濟，住在六然居協助楊肇嘉整理個人資料，準備作為撰寫回憶錄之用；不料，後來卻因楊逵對於資料的選擇和楊肇嘉意見不同，雙方之間有些微詞，所以楊逵決定離開六然居，而楊肇嘉仍在自身財力已顯困窘之下，協助購買今東海大學對面的大肚山土地，作為其生活居住的農場（**即後來的東海花園**）。根據曾在東海大學兼課時，常造訪對面農場的楊逵，清水出身的楊風（1943 年～）追憶，民國 63 年（1974 年）夏天，楊逵和時任《笠》詩刊編務的趙天儀一起來到其宿舍造訪，因為隔天要去南港的

雷震墓園參加追思聚會活動和出席白先勇舉辦的文學座談會，故先來臺大教職員宿舍拜訪他，楊逵知道他是清水人，主動跟他提起其原本正在幫忙楊肇嘉整理自傳和相關資料，卻因為彼此理念的不同而離開；雙方的癥結點就在於日治時代，楊肇嘉所積極參與的抗日活動和組織「臺灣議會設置請願運動」，以及「臺灣地方自治聯盟」，往往被當時左傾的臺灣文化協會成員及後來的左派歷史研究者強烈批判，視為代表地主階層和資產階級團體的利益與行動，楊風指出這和楊逵所致力的農民運動，以及同情廣大勞苦農工大眾的社會主義者身份，自然有著「意識型態」上的差異，因此，他認為楊逵對楊肇嘉頗有微詞，也就可以理解了！

楊逵離開六然居之後，楊肇嘉《回憶錄》先後由其擔任大雪山林業公司董事長時的秘書馮超群續寫完成初稿，最後再由當時在新聞界工作的戴獨行加以潤稿、整理而成。因此，造成全書上、下冊的行文、筆意、觀點，及對人事物的描述與品評出現相當大的落差，也有內容闕漏、誤記、誤植資料等問題。而跟楊肇嘉也有往來的胡適（1891～1962年），聽說楊肇嘉要出版《回憶錄》時就曾勸他，以他的

經歷豐富把所知道的事情寫出來，為歷史留下紀錄固然好，但不要急著出版，加上史學傳統是「生人不立傳」，人的一生功過須待蓋棺後論定。當時楊肇嘉可能在其妻張碧雲剛過世一年不久，比較消沉，或許在眾多期盼和勸進之下，才有點匆促付梓的情形出現。所以，不免衍生諸多連楊肇嘉自己也始料未及的風波。事實上，楊肇嘉的《回憶錄》不僅沒收回下架，在民國 60 年（1971 年）楊肇嘉 80 歲時，還進行第三版的印行，迨至民國 65 年（1976 年），其以 85 歲高齡逝世後，翌年冥誕時再進行了第四版的印行。若以一版的印量 1 萬冊計算，《楊肇嘉回憶錄》總計發行四版，就有 4 萬冊（上、下冊）的流通量，此個人回憶錄在出版界的書籍銷售量上，也可說是難得的暢銷書之一。

　　楊達在晚年接受採訪時自稱是人道的社會主義者，如此，他早年對於楊肇嘉的批評與不滿也應該修正和改觀，同樣是基於人道，為臺灣這塊土地付出，只是彼此身分、立場、方式不同罷了，跟同時代的人比較起來，楊肇嘉終究還是個有情有義的人。

結語 Conclusion

回首往昔，依舊豪氣干雲

　　回首臺灣百年來歷史發展，歷數檯面上的風雲人物不乏其人，惟行事作風和對臺灣政治、社會、經濟與文化、教育等之貢獻，尚且各有褒貶之處，尤其是處於不同政權轉換之際的人物，不同時空的歷史評價往往呈現兩極化趨向，如 1895 年割臺之際的清廷大臣李鴻章父子、黑旗軍劉永福、臺灣民主國總統唐景崧、丘逢甲等人當時所扮演的角色，又如鹿港的辜顯榮、板橋林家林熊徵、林熊祥、霧峰林家頂厝林獻堂、下厝林季商、屏東里港藍高川、高雄陳中和、基隆顏雲年、臺北大稻埕李春生、彰化吳德恭、臺中新庄子吳鸞旂、清水蔡蓮舫、蔡年亨等人的立場和抉擇，都可以有不同的觀察、論述及評價。若以財富、政治實力、社會影響力來評斷前述的家族，能夠膺任全臺性大家族者，以鹿港辜家、板橋

林家及霧峰林家當無庸置疑，然而，清水社口楊家雖然在財力上難以與前述三大家族相比擬，但就政治實力、社會影響力而言，尤其是楊肇嘉在臺灣歷史上的貢獻，則不遑多讓。

楊肇嘉於民國 65 年（1976 年）逝世，享壽 85 歲。綜觀楊肇嘉的一生經歷，可謂高潮迭起，不論是在戰前的日治時期參與抗日活動，得以自日本殖民官方高壓政策下全身而退，殊屬不易。抑或是在戰後，得以出任公職要津，比起霧峰林家林獻堂晚年被迫避走日本的情形，幸運太多；雖有大陸經驗，卻不是典型臺籍「半山」者投效重慶國民政府之輩，於民國 34 年（1945 年）「臺灣光復」返臺後，謀得一官半職者可類比，尤其難得是在戒嚴時期，政治局勢相當肅殺的氛圍下，屢受起用借

重其勇於任事的能力，卻又與自由派人士雷震、胡適、
孫立人暨本土反對勢力郭雨新、許世賢、吳三連等時有
往來，具相當交情，收容和接濟剛出獄的文學家楊逵等，
唯獨楊肇嘉是始終如一，面對強權寡義的統治者毫不退
讓和低頭，公開敢言，急公好義的個性，且樂意提攜後
進，培育臺灣人才，不望回報的作風，而又能不觝觸政
治禁忌免遭致禍端，並能全壽以終，備受黨政軍界及民
間的敬重與好評，締造楊氏傳奇一生。

　　典型在夙昔，三十年後跨世紀的當代，從臺中地方
學的探討，認識和感佩前輩先賢為臺灣民族前途努力不
懈的奮鬥精神，得以體認到楊肇嘉善盡身為地方大族的
社會責任，除了要能仗義輸財、樂善好施、接濟貧困、

獎掖後進、參與地方事務、熱心公益、雪中送炭、調處
紛爭，甚至保鄉衛民的重擔及艱辛，尤其身為公眾人物，
要領袖群倫，必須犧牲小我，吞忍所有的委屈與不平，
方能具備成就大義及大我的當仁不讓、捨我其誰之格局、
氣度及特質。而進一步自鄉土史的視角，回顧楊肇嘉的
事蹟與行誼，誠如他奉為座右銘的六然：「自處毅然、
處人藹然、有事斬然、無事澄然、得意冷然、失意泰然」
所展現，依舊顯得豪氣干雲，撼動人心，更令人感動不
已的則是他內心那份對「生於斯、長於斯」的土地與故
鄉，率真而誠樸的關懷及實踐，也是他留給後世最珍貴
的資產和臺灣精神，令人省思與緬懷。

附錄 Appendix

楊肇嘉大事記

（林景淵／製表）

年代	生平事蹟	相關大事
光緒 18 年（1892年）	出生於臺中牛罵頭牛埔仔（今清水區秀水）。父楊送，母陳于，兄弟姊妹 13 人，排行第七。	
光緒 20 年（1894年）		滿清政府、日本發生「甲午戰爭」。
明治 28 年（1895年）		滿清政府戰敗，割讓臺灣。6 月 17 日「臺灣總督府」舉行「始政式」。首任總督樺山資紀。
明治 30 年（1897年）	過繼給同宗楊澄若為養子，將原名「番兒」改為「肇嘉」。養父家境優渥，聘家塾教席楊煥章、王則修。	「牛頭罵公學校」（今清水國小）創立。
明治 31 年（1898年）	養父楊澄若側室生一子，名天錫。	兒玉源太郎就任臺灣總督，民政長官為後藤新平。

年代	生平事蹟	相關大事
明治 34 年 （1901年）	・ 進入「牛罵頭公學校」就讀，校長岡村玉吉妥加愛護。 ・ 養父楊澄若側室再生一子，名天賦。	
明治 40 年 （1907年）	畢業於「牛罵頭公學校」。校長說服楊肇嘉之養父，準備帶其前往日本就讀。	
明治 41 年 （1908年）	隨岡村玉吉校長赴日本，進入東京黑田高等小學校就讀（六年級）。	4月，臺灣縱貫鐵路全線通車。
明治 42 年 （1909年）	・ 進入「京華商業學校」就讀。 ・ 與堂兄楊緒洲等人同宿。	
明治 44 年 （1911年）	・ 課餘赴補習班學小提琴。 ・ 準備報考大學。	

年代	生平事蹟	相關大事
明治45年 大正元年 （1912年）	三人遷居「本鄉真砂町」。	・中華民國成立，明治天皇逝世，改元大正。 ・「林杞埔事件」。
大正2年 （1913年）	・獲珠算競賽冠軍。 ・暑假返臺，赴日後半工半讀。 ・12月，回臺與大雅張碧雲結婚。	・孫中山道經臺灣赴日本。 ・「羅福星事件」。
大正3年 （1914年）	・「京華商業學校」畢業。 ・任「中日交通會」嚮導，接待中華民國官員參觀「大正博覽會」，結識陸宗輿。 ・晤見孫中山。 ・任《中國實業》雜誌編輯。 ・10月，回臺灣，任牛罵頭公學校雇員，兼四年級教師，鼓勵學生升學。	・林獻堂、中部文人，共同創立私立學校「臺中第一中學校」（今臺中一中）。 ・爆發第一次世界大戰。 ・日本「大正博覽會」閉幕。 ・板垣退助成立「臺灣同化會」。（兩個月後即解散）

年代	生平事蹟	相關大事
大 正 4 年 （1915年）	聚集失學青年學生，成立「講習班」。	・「西來庵事件」。 ・新任臺灣總督安東貞美就任。
大 正 5 年 （1916年）	經甄試合格，任公學校「訓導」。	袁世凱稱帝，是為「洪憲元年」。
大 正 6 年 （1917年）	養父楊澄若被任命為牛罵頭區長。	日本早稻田大學來臺比賽，帶動臺灣棒球運動。
大 正 7 年 （1918年）	・爭取開辦公學校之女生班成功。 ・加入蔡惠如、林幼春等人創立之「臺灣文社」。	・明石元二郎就任臺灣總督，推動「南進論」。 ・日本「民主主義風潮」開始。
大 正 8 年 （1919年）	・參加公學校「商業科」教師甄選合格。 ・正式成為公學校「教諭」。	・中國發生「五四運動」。 ・首任文官臺灣總督田健次郎就任，推行所謂「內地延長主義」。

年代	生平事蹟	相關大事
大正9年 （1920年）	・辭公學校教職。 ・率領地方代表向官方爭取鐵、公路建設土地補償金及減少義務工之徵用。 ・就任臺中州大甲郡清水街街長。	・《臺灣青年》創刊，編輯蔡培火，臺灣分社社長蔣渭水。 ・「臺灣地方自治新制」公布實施。 ・海線鐵道通車。
大正10年 （1921年）	獲推薦為《臺灣青年》幹部。	・臺灣居民向日本帝國議會提出設置「臺灣議會」案。 ・「臺灣文化協會」成立。

年代	生平事蹟	相關大事
大正 11 年（1922年）	・參加「臺中州街庄職員日本模範村視察團」，參觀日本鄉村之自治及建設。 ・在東京參加「臺灣青年會」年會，與林獻堂討論請願活動，組織文化團體等問題。 ・被推舉為興建「臺灣青年會館」籌備會副主委，主委林獻堂。 ・返臺後推動設置議會請願活動。	・《臺灣青年》雜誌改名為《臺灣》。 ・日本共產黨正式成立。 ・「新臺灣聯盟」成立。 ・「蘇聯共和國」成立。
大正 12 年（1923年）	・擔任「臺灣文化協會」評議員。	・臺灣總督府查禁「設置議會」之相關活動。
大正 12 年（1923年）	・發生「治警事件」，蔣渭水等人被捕。 ・遭日本警察約談。	・東京《臺灣》雜誌改組為《臺灣民報》。 ・關東大地震。 ・「臺灣公益會」成立，會長辜顯榮。

年代	生平事蹟	相關大事
大正13年（1924年）	・參與「推動設置臺灣議會」講演活動。 ・擔任「臺灣文化協會」理事。 ・10月，結束清水街長任職。 ・10月10日，養父楊澄若病逝。	・張我軍等人在上海組織「臺灣青年會」。 ・許地山等人在北京成立「臺灣學社」。 ・伊澤多喜男就任臺灣總督。
大正14年（1925年）	・「臺灣議會設置請願團」代表：楊肇嘉、林獻堂、葉榮鐘、邱德金4人赴日。返臺後舉行全島巡迴演講，楊肇嘉回到清水時，遭警方約談。 ・10月，為進入大學深造，舉家遷往東京，在小石川區租一宅院。	・蔣渭水、蔡惠如入獄。 ・孫中山病逝，「臺灣文化協會」在臺北舉行追悼會。 ・二林成立「蔗農組合」，隨後發生「二林事件」。

年代	生平事蹟	相關大事
大正 15 年 昭 和 元 年 （1926年）	・考入早稻田大學專門部（專科），對政治、經濟十分熱中，並因得以結識矢內原忠雄、美濃部達吉、大山郁夫等學術巨擘。 ・大力協助臺灣青年進入東京各大學就讀。	・「臺灣農民組合」在鳳山成立，會長簡吉。 ・上山滿之進就任臺灣總督。 ・「臺灣文化協會」在新竹召開定期大會，意見分裂。 ・「大東信託公司」成立，社長林獻堂。
昭 和 2 年 （1927年）	・被推舉為「東京新民會」常務理事。 ・「東京臺灣青年會」幹部分裂。	・「臺灣文化協會」召開大會，第一次分裂。 ・「臺灣民眾黨」成立，黨首蔣渭水。 ・《臺灣民報》由東京遷至臺灣發行。

年代	生平事蹟	相關大事
昭和 3 年 （1928年）	・第九次「臺灣議會設置請願代表」，蔡式穀、蔡培火、王受祿由臺灣赴東京，以楊肇嘉住宅為聯絡處。 ・成立「臺灣問題研究會」，會址設在楊宅，楊肇嘉任代表人。 ・完成〈臺灣地方自治建議案〉。 ・撰寫〈臺灣地方自治制度〉，收入《臺灣地方自治問題》一書中，列為「新民會文存」第一輯。	・蔣渭水出面成立「臺灣工友總聯盟」。 ・「臺北帝國大學」開學。 ・「臺灣共產黨」在上海成立。 ・「臺灣新文化協會」出刊《大眾時報》，在東京發行。 ・臺灣總督府新設「高等警察」（特務），取締思想犯。 ・臺北廣播電臺開播。
昭和 4 年 （1929年）	・在《臺灣民報》發表〈談新民會〉。	・「臺灣新民報社股份有限公司」成立。

年代	生平事蹟	相關大事
昭 和 4 年（1929年）	‧「東京新民會」在楊宅召開新年集會，邀請學者矢內原忠雄演講。 ‧「臺灣新民報社股份有限公司」成立，擔任監事。 ‧早稻田大學畢業。 ‧5月，回臺灣參加蔡惠如喪禮，擔任治喪委員會主任委員。 ‧7月，偕同林呈祿見「拓務大臣」松田源治，洽談治理臺灣問題。	‧臺灣民眾黨在全島舉辦「打倒鴉片」演講會。 ‧石塚英藏就任臺灣總督。 ‧矢內原忠雄《帝國主義下的臺灣》出版，臺灣禁售。 ‧「臺灣文化協會」召開第三次大會。 ‧臺灣民眾黨公開反對臺灣總督府續發吸食鴉片執照。
昭 和 5 年（1930年）	‧1月，與蔡培火赴東京「國際聯盟協會鴉片委員會」企圖發言阻止臺灣總督府頒發吸食鴉片執照。（未能達成）	‧《臺灣民報》改稱《臺灣新民報》。 ‧6月，嘉南大圳完工啟用。

年代	生平事蹟	相關大事
昭 和 5 年（1930年）	・2 月，陪同「國際聯盟協會鴉片委員會」在臺灣進行調查。 ・3 月，赴日本推動第十一次「臺灣議會設置」請願活動，遞交一千餘人之連署書。 ・4 月，林獻堂等人促請楊肇嘉返臺領導臺灣地方自治運動。 ・6 月，蔡培火回臺灣。 ・臺灣民眾黨議決，請楊肇嘉擔任委員長，楊肇嘉辭謝。 ・6 月 29 日，退出臺灣民眾黨。 ・8 月，「臺灣地方自治聯盟」成立，獲選為常務理事，是為實際負責人。 ・8 月 27 日，與蔡式穀代表「臺灣地方自治聯盟」訪臺灣總督石塚英藏。	・「臺灣民眾黨」代表蔣渭水、蔡式穀、陳其昌等人向臺灣總督提交由林獻堂領銜萬人連署的「臺灣地方自治建議書」。 ・8 月，「臺灣地方自治聯盟」第一次發起人會議在臺中召開。 ・8 月 17 日，「臺灣地方自治聯盟」在臺中召開成立大會，227 人出席。 ・「臺灣新民報社」舉辦臺灣 5 州 7 市議員模擬選舉。 ・「臺灣文化三百年紀念會」在臺南召開。 ・10 月 27 日，「霧社事件」。

年代	生平事蹟	相關大事
昭 和 6 年 （1931年）	・1月，在日本，向即將出任臺灣總督之太田政弘提出〈臺灣地方自治制度改革建議書〉。 ・2月，公開聲明抗議臺灣總督府解散臺灣民眾黨。 ・5月8日，舉家回臺灣，定居臺中市新富町。 ・8月，召開「臺灣地方自治聯盟」第一屆全島盟員大會，擔任副議長。 ・11月，偕同蔡式穀向臺灣總督太田政弘遞交自治聯盟大會宣言及建議書。 ・在臺北成立「臺灣經濟研究所」，擔任第一屆理事長。	・1月，太田政弘就任臺灣總督。 ・8月，蔣渭水病逝。 ・在臺中舉行蔣渭水追思會，3,000人參加。 ・9月18日，中國發生「九一八事變」。 ・11月，「中華蘇維埃共和國」成立。

年代	生平事蹟	相關大事
昭和 7 年 （1932年）	・1 月，主持「臺灣民報社」臺中分社開幕典禮。 ・1 月，赴日本奔走推動臺灣地方自治制度，並在日本支援友臺國會議員競選活動。 ・4 月，偕同黃朝清等人拜訪來臺中巡視的臺灣總督南弘於公會堂，促請及早實施地方自治。 ・4 月 27 日，拜訪臺灣總督南弘。 ・6 月 24 日，與蔡式穀等人拜訪新任臺灣總督中川健藏。 ・8 月，「臺灣地方自治聯盟」第二屆全島大會，擔任議長。 ・11 月，拜會日本首相齋藤實，面交 200 份連署書，提出言論、集會、出版自由等九項要求。	・《南音》半月刊創刊。 ・《臺灣新民報》獲准發行日刊。 ・上海「一二八事變」。 ・「滿洲國」發表〈建國宣言〉。 ・4 月 5 日，《臺灣新民報》第 1 號日報發刊。 ・全島「反對臺灣米移入限制委員會」成立。 ・〈嘉南大圳議員選舉問題〉宣傳手冊遭查禁。 ・11 月，羅斯福當選美國總統。 ・11 月，臺灣總督府下令關閉全部漢文書房。

年代	生平事蹟	相關大事
昭 和 8 年 （1933年）	・7月，擔任「中部住民大會」議長。 ・7月29日，「北部住民大會」前一日舉辦演講會，15名演講者之中8人遭警方下令中止，楊肇嘉憤而宣布散會。 ・10月，與葉榮鐘等人前往朝鮮（韓國）考察地方自治制度。 ・10月31日，在東京與臺灣總督中川健藏、拓殖大臣永井柳太郎討論臺灣自治問題；並向日本首相齋藤實提交〈朝鮮考察報告書〉。 ・12月，「東亞共榮協會」在臺中成立，楊肇嘉列名協會委員。	・日本退出國際聯盟。 ・7月，「臺灣地方自治聯盟」召開「現行不完全地方制度改革促進全臺大會」，在臺中、臺南、臺北召開「住民大會」，並議決：「立即實施地方自治，設立民選議決機關」。 ・7月，臺灣總督府取締「共產黨臺灣民族支部」。 ・「臺灣地方自治聯盟」代表拜訪臺灣總督中川健藏，提交三地「住民大會」之議決文。 ・日本頒布《米穀統制令》。

年代	生平事蹟	相關大事
昭 和 9 年 （1934年）	・3 月，與《臺灣新民報》記者何景寮赴日本；「臺灣地方自治聯盟」工作重心移至東京，在日本停留一個月餘，與亞洲各殖民地志士進行交流。 ・6 月 20 日，應邀出席臺灣、日本無線電話通話典禮，並第一次通話。 ・參加「臺灣同鄉會」成立大會，並計畫推動「鄉土訪問演奏會」。 ・加入日本人成立的「臺灣懇話會」。 ・臺灣楊清溪駕飛機訪問臺灣中部。 ・臺灣總督府呈報日本中央政府〈臺灣地方自治改正案〉，但內容與「臺灣地方自治聯盟」之構想相差很遠。	・臺灣總督府警務局長召見林獻堂等人，勸告勿進行「臺灣議會設置請願活動」。 ・「滿洲國」成立，元號「康德」。 ・5 月，「臺灣文藝聯盟」在臺中成立，並發行《臺灣文藝》。 ・林獻堂等人拜訪臺灣總督府總務長官平塚廣義，力陳漢文教育之重要性。 ・臺灣人辜顯榮獲任命為「貴族院議員」。 ・8 月，「旅日音樂家鄉土訪問團」返臺舉辦 7 場音樂會。

年代	生平事蹟	相關大事
昭 和 9 年 （1934年）	・12 月，「臺灣地方自治聯盟」代表 10 人拜訪臺灣總督中川健藏，申訴立場。 ・不滿臺灣總督府提出之「改正案」，赴日本向中央政府提出異議，返臺後，在臺北遇刺。	・11 月，「臺陽美術協會」成立。 ・12 月，「東亞共榮協會」擴大成員；機關報《臺中新報》改名《東亞新報》。
昭 和 10 年 （1935年）	・2 月，赴東京出席「日本全國米穀販賣組合聯合會」。 ・4 月 21 日，臺灣中部大地震，協助各界進行搶救活動。 ・8 月，「臺灣地方自治聯盟」成立五週年紀念大會，擔任第三屆全島大會議長。 ・11 月 22 日，臺灣第一次市會及街庄協議會員選舉投票。	・在臺中市召開「臺灣米擁護大會」，林獻堂擔任主席。 ・日本對原住民改稱「高砂族」。（原稱為「生蕃」、「熟蕃」） ・10 月 10 日，「始政四十週年紀念博覽會」開幕。 ・11 月，菲律賓成立聯邦共和國。 ・中國成立「冀東防共自治政府」。

年代	生平事蹟	相關大事
昭和 11 年 （1936年）	・2 月，參加「臺灣新民報社」華南考察團，歷經一個月，途中曾謁中山陵，亦曾會晤胡漢民。 ・6 月 17 日，「祖國事件」發生。林獻堂出席「始政紀念日」，遭日本人毆打，楊肇嘉抱住暴徒，為林獻堂解圍。	・日本外務大臣廣田弘毅發表〈對中國三原則〉。（後廣田任首相） ・5 月 5 日，中國政府發表《中華民國憲法草案》。 ・9 月，小林躋造就任臺灣總督。 ・魯迅病逝。 ・11 月，「臺灣拓殖公司」設立。
昭和 12 年 （1937年）	・偕同林獻堂、吳三連拜訪臺灣總督伊澤多喜男，建議日本政府放棄同化政策。	・4 月，《臺灣日日新聞》、《臺灣新聞》、《臺南新報》停止漢文版，《臺灣新民報》亦於 6 月 1 日廢止。

年代	生平事蹟	相關大事
昭 和 12 年（1937年）	・參加「臺灣新民報社」舉辦的「新高登山」活動。 ・8 月 13 日，「臺灣地方自治聯盟」召開第四次全島大會，並宣布解散。 ・在故鄉興建「六然居」。 ・年底，舉家遷居日本，住「退思莊」。	・7 月，中、日戰爭爆發，日本進入戰時體制。 ・矢內原忠雄因反戰言論，遭東京大學解聘。
昭 和 13 年（1938年）	・東京《東亞日日新聞》抨擊楊肇嘉反日軍、反南進，因此受到特別跟監。 ・發表〈臺灣米穀輸出管理法案威脅戰時的糧食政策〉，與吳三連等人奔走設法阻止法案通過。	・吳三連、蔡培火因反軍思想，遭警方拘捕。 ・國民政府遷都重慶。 ・日本頒布《國家總動員法》。 ・臺灣廣播電臺禁播臺語節目。

年代	生平事蹟	相關大事
昭和14年 （1939年）	・1月，養母黃吉去世，回臺奔喪。 ・2月，赴日，為米穀管理法問題拜會伊澤多喜男、中山泰二。 ・7月，入主大東公司，改名「大東實業公司」，任社長。公司設於日本神戶，經營中日貿易。	・5月，《臺灣米穀移出管理令》公布，自11月1日實施。 ・5月，臺灣總督小林躋造宣布政策重點：皇民化、工業化、南進策略。 ・7月，頒布《國民徵用令》，自10月1日起實施。 ・9月，第二次世界大戰爆發。
昭和15年 （1940年）	・在日本避暑勝地輕井澤購地建別墅一棟。 ・「臺灣地方自治聯盟」贈紀念品，由陳夏雨鑄造坐姿銅像一座。	・日本建國2,600年紀念。 ・2月，臺灣總督府訂定臺灣人民改日本姓名辦法。 ・3月，汪精衛成立南京政府。 ・10月，日本解散全國政黨。

年代	生平事蹟	相關大事
昭和16年（1941年）	・《臺灣新民報》改名《興南新聞報》。 ・楊肇嘉辭去《興南新聞報》理事。 ・輕井澤別墅落成，名「大潛山莊」。	・4月，「皇民奉公會」創立，臺灣總督長谷川清兼任總裁。 ・10月，陸軍大臣東條英機就任首相。 ・12月7日，日軍襲美國珍珠港。
昭和17年（1942年）	臺灣總督府派人勸楊肇嘉改日本式姓名，未果。	・4月，臺灣實施陸軍志願兵制。 ・12月，臺灣櫟社四十週年。
昭和18年（1943年）	・赴中國，經朝鮮半島，至滿洲國新京（長春）。 ・4月，在火車上遭日本警察逮捕入獄。經親友奔走救出，在獄中十六天，出獄後赴長春。 ・5月，經北京至上海。 ・至上海「大東實業公司」分店，親自處理業務。	・《臺灣教育令》修訂公布，實施六年國民義務教育。 ・11月13日，「臺灣文學奉公會」召開「臺灣決戰文學」會議。 ・11月，開羅會議。

年代	生平事蹟	相關大事
昭和19年（1944年）	・由中國返日本，住宅「退思莊」出售，全家移居上海。 ・經營「大東農場」。	・6月，歐洲方面，聯軍建立第二戰線。 ・12月，長谷川清辭去臺灣總督，改由安藤利吉就任。
昭和20年 民國34年 （1945年）	・8月31日，歡迎陳儀臺灣代表團來上海；林獻堂來訪。 ・「大東實業公司」遭人誣告掩護日資。 ・應邀赴「臺灣義勇軍」、「三民主義青年團」等單位演講。 ・10月，設立「臺灣研究會」。 ・11月，「臺灣旅滬同鄉會」成立，出席1,500人，當選理事長；但事後又被宣告無效，後由李偉光當選理事長。	・2月，英、美、蘇召開雅爾達會議。 ・林獻堂、許丙、簡朗山獲任貴族院議員。 ・8月，美軍投原子彈於日本之廣島、長崎。 ・8月15日，日本宣布投降。 ・8月20日，陳儀就任「臺灣行政長官」。 ・10月，聯合國成立。

年代	生平事蹟	相關大事
昭和 20 年 民國 34 年 （1945年）		・10 月 25 日，在臺北舉行受降典禮，臺灣正式光復。
民國 35 年 （1946年）	・資助居住上海之臺灣人返臺。 ・2 月，當選「臺灣重建協會上海分會」理事，並出任理事長。 ・5 月，開始學習英語。 ・7 月，率領六大團體向國民政府提交設立「臺灣省政府」等之訴求，此後與陳儀交惡。 ・8 月，「國民參政員」選舉，以「肇」字多一筆而被宣布落選，由林獻堂當選。	・2 月，《人民導報》創刊，社長宋斐如。 ・4 月，臺灣第一屆「參議員」選舉，黃朝琴、李萬居分別就任正、副議長。 ・5 月，國民政府遷都南京。 ・7 月，《民報》創刊，社長林茂生。 ・8 月）「國民參政員」選舉。

年代	生平事蹟	相關大事
民國 35 年（1946年）	・9 月，被捕，罪名是「通敵戰犯」。 ・9 月，林獻堂、杜聰明、林呈祿等人及臺灣親友設法營救楊肇嘉，至 11 月 1 日始獲保釋，坐牢三十七天。	・9 月，「臺灣文化協會」刊物《臺灣文化》創刊。 ・10 月 21 日，蔣中正訪臺。 ・12 月 25 日，中國國民黨大會通過《中華民國憲法》。
民國 36 年（1947年）	・2 月 28 日，「二二八事變」爆發。 ・「二二八事變」以後，努力四處奔走，作各種呼籲及建議。公開表示，政府必須嚴懲陳儀。 ・3 月 12 日，與陳重光等 13 人來臺灣，被臺灣政府看管，一天後原機返回上海。	・臺灣社會不安，米價一日數漲。 ・2 月 27 日，警察因取締小販出售香菸而引發全臺灣動亂，即臺灣史上之「二二八事變」。 ・3 月，彰化銀行改組，林獻堂任董事長。

年代	生平事蹟	相關大事
民國 36 年（1947年）	・農曆年前，舉家遷回故鄉清水。	・3月9日，陸軍21師登臺，進行肅殺臺灣百姓。 ・國防部白崇禧、蔣經國來臺，全省戒嚴。 ・4月22日，「行政長官公署」改為「臺灣省政府」。
民國 37 年（1948年）	・臺中市「東瀛學會」舉辦歡迎演講會，2,000人出席。 ・參加臺灣各地演講及座談會。 ・經常來往於上海，年底定居臺中。	・2月，廖文毅在香港成立「臺灣再解放同盟」。 ・3月，蔣中正、李宗仁當選正、副總統。
民國 38 年（1949年）	・3月，蔣中正下野，自大陸來臺灣。	・4月6日，「四六事件」，拘捕325名大學生。

年代	生平事蹟	相關大事
民國 38 年（1949年）	・12 月，受省主席吳國禎邀請擔任「臺灣省政府委員」。 ・12 月，臺灣徵兵，楊肇嘉負責徵兵業務。	・5 月 20 日，宣布戒嚴。 ・9 月，林獻堂託病赴日本。 ・6 月 15 日，舊臺幣 4 萬換新臺幣 1 元。 ・11 月，《自由中國》創刊。 ・12 月，國民政府遷臺，行政院長閻錫山、臺灣省主席吳國禎。
民國 39 年（1950年）	・1 月，就任臺灣省政府民政廳長。 ・發行「愛國獎券」，籌款建造軍方營舍，避免軍隊占用學校。 ・7 月，規劃及推動縣市議員、縣市長選舉，至第二年 7 月完成。	・1 月，第一批新兵入伍。 ・3 月，閻錫山辭行政院長，陳誠接任。 ・4 月 11 日，發行愛國獎券。 ・5 月，楊逵被判刑十二年。

年代	生平事蹟	相關大事
民國 39 年 （1950 年）	・臺灣省政府劃定全省 16 縣 5 市。 ・民政廳推動戶政改革，簡化各種人民申請案件手續，辦理全省戶口總校正。 ・協助推行「三七五減租」政策，達成「耕者有其田」目標。 ・吳國禎邀請加入國民黨，婉謝。	・6 月 18 日，陳儀被槍斃。 ・6 月 23 日，韓戰爆發，美國第七艦隊來臺防衛。
民國 40 年 （1951 年）	・辦理地籍整理，完成全省土地丈量及清查。 ・兼任臺灣省政府「行政設計委員會」主任委員。 ・推動改善原住民生活政策，推行「國語」；規劃開拓荒地，協調軍方支援開墾。	・開始實施「統一發票」制度。 ・「美軍顧問團」成立。 ・公布《耕地三七五減租條件》。

年代	生平事蹟	相關大事
民國 40 年（1951年）	・11 月，辦理臺灣省臨時省議會第一屆議員選舉。	・第一屆「臨時省議會」成立，議長黃朝琴，副議長林頂立。
民國 41 年（1952年）	・統一全臺中元節日期。 ・訓練「國民兵」，設立「民眾反共自衛隊」。 ・12 月，辦理第二屆臺灣省縣市議員選舉。	・4 月，《中日和平條約》在臺北簽訂。 ・8 月，設立「臺灣省民防委員會」。 ・10 月 31 日，「中國青年反共救國團」成立，主任蔣經國。
民國 42 年（1953年）	・4 月，吳國禎辭省主席，俞鴻鈞接任。 ・臺灣省政府改組，辭民政廳長；後再任臺灣省政府委員，並被派任「地方預算審核小組」召集人。 ・與林柏壽等人合組「大昌漁業股份有限公司」，任董事長，為戰後臺日合作企業之範例。	・第一次「四年計畫經濟」。 ・5 月，吳國禎赴美。 ・7 月，韓戰停戰。

年代	生平事蹟	相關大事
民國 43 年 （1954年）	· 擔任彰化銀行顧問。 · 推薦林柏壽擔任臺灣水泥公司董事長。	· 2 月，吳國禎在美國發表反蔣言論。 · 6 月，嚴家淦接任臺灣省主席。 · 12 月，與美國簽訂《共同防禦條約》。
民國 44 年 （1955年）	· 「大昌漁業股份有限公司」改組，委託基隆顏世昌經營。 · 「大昌漁業股份有限公司」開始與日本「永福產業」合作。	· 2 月，「臺灣共和國臨時政府」在東京成立，廖文毅任「大統領」。 · 4 月，財政廳長任顯群以「匪諜案」遭逮捕。 · 8 月，孫立人遭軟禁。
民國 45 年 （1956年）	「大昌漁業股份有限公司」結束營業。	9 月，林獻堂病逝日本。
民國 46 年 （1957年）	擔任臺灣銀行監察人。	3 月，「劉自然事件」。

年代	生平事蹟	相關大事
民國49年（1960年）	擔任臺灣省政府「八七水災重建計畫審議小組」召集人。	・6月，日本大學生大規模反對《美日安保條約》。 ・9月，雷震被捕，《自由中國》停刊。
民國50年（1961年）	・6月，擔任「中國醫藥學院」（今中國醫藥大學）董事長。 ・11月，任省屬「大雪山林業公司」董事長。	・4月，臺視公司成立。 ・7月，第一次「陽明山會議」。
民國51年（1962年）	・辭臺灣省政府委員。 ・獲聘為「總統府國策顧問」，仍兼「大雪山林業公司」董事長。	・胡適去世。 ・臺灣電視開播。

年代	生平事蹟	相關大事
民國 52 年（1963年）	・擔任臺灣省政府「臺中縣龍井鄉示範農村指導小組」召集人。 ・出面調解高雄醫學院（今高雄醫學大學）人事糾紛案。	・楊傳廣創十項運動紀錄。 ・美國總統甘迺迪遇刺。 ・嚴家淦就任行政院長。
民國 53 年（1964年）	辭中國醫藥學院董事長，仍任董事。	・禁映日本電影。 ・石門水庫竣工。
民國 55 年（1966年）	夫人張碧雲病逝。	・「文化大革命」開始。 ・蔣中正連任總統。
民國 65 年（1976年）	4 月 19 日，病逝，享年八十五歲。（安葬於清水楊氏家族墓園）	・文化大革命「四人幫」垮臺。 ・臺灣第一個加工出口區在高雄成立。 ・毛澤東、周恩來去世。 ・唐山大地震。

主要參考資料：

1.《楊肇嘉回憶錄》（三民書局，1967 年）。

2.〈楊肇嘉年表〉，收入《清水六然居——楊肇嘉留真集》

（財團法人吳三連臺灣史料基金會，2003 年）。

參考書目 Bibliography

參考書目：

1. 原房助編輯，《臺灣大年表》，臺北市：臺灣經世新報社，1938 年。

2. 臺南新報社編輯，《南部臺灣紳士錄・臺中廳》，臺南：臺南新報社，1907 年。

3. 林進發編著，《臺灣官紳年鑑》，臺北市：民眾公論社，1934 年。

4. 臺灣新民報編輯，《臺灣人士鑑》，臺北市：臺灣新民報社，1937 年。

5. 張炎憲、陳傳興主編，《清水六然居：楊肇嘉留真集》，臺北：財團法人吳三連臺灣史料基金會，2003 年。

6. 周明，《楊肇嘉傳》，南投市：臺灣省文獻委員會，2000 年。

7. 李君晰編，《楊肇嘉先生追思錄》，臺北：楊湘玲，1982 年。

8. 陳德才編，《楊肇嘉先生百歲冥誕紀念集》，臺北：楊湘玲等，1991 年。

9. 葉榮鐘，《臺灣人物群像》，臺北：時報文化，1995 年。

10. 葉榮鐘編，《楊肇嘉先生榮哀錄》，臺中縣：楊基煒等，1976 年。

11. 蔡金燕，《吳三連傳》，南投市：臺灣省文獻委員會，1997 年。

12. 陳瑤塘主編，《清水鎮志》（增編本），臺中縣：清水鎮公所，1998 年。

13. 彭瑞金總編纂，《重修清水鎮志》，臺中市：清水區公所，2013 年。

14. 張光直，《番薯人的故事》，臺北市：聯經出版公司，1998 年。

15. 許雪姬總策劃，《臺灣歷史辭典》，臺北市：遠流出版公司，2004 年。

16. 楊肇嘉，《楊肇嘉回憶錄》，臺北市：三民書局，1970 年。

17. 賴健祥，《臺中外史》，臺中市：作者自印，1968 年。

18. 黃臥松主編，《崇文社文集》3，臺北市：龍文出版社，2009 年。

19. 鄭汝南主編，《臺灣文藝叢誌》2（5），臺中市：臺灣文社，1920 年。

20. 鄭汝南主編，《臺灣文藝叢誌》3（1），臺中市：臺灣文社，1921 年。

21. 鄭汝南主編，《臺灣文藝叢誌》3（3），臺中市：臺灣文社，1921 年。

22. 鄭汝南主編，《臺灣文藝叢誌》3（4），臺中市：臺灣文社，1921 年。

23. 沈懷玉撰，〈四六事件〉，收錄於許雪姬總策劃，《臺灣歷史辭典》，臺北市：遠流出版公司，2004 年，頁 239。

24. 游勝冠撰，〈張我軍（1902.10.7 ～ 1955.11.3）〉，收錄於許雪姬總策劃，《臺灣歷史辭典》，臺北市：遠流出版公司，2004 年，頁 739。

25. 劉益昌，〈張光直（1931.4.15 ～ 2001.1.3）〉，收錄於許雪姬總策劃，《臺灣歷史辭典》，臺北市：遠流出版公司，2004 年，頁 737 ～ 738。

26. 王一剛，〈故楊肇嘉先生生平事蹟〉，《臺灣風物》，27 卷 2 期，1977 年 6 月，頁 22 ～ 24。

27. 李毓嵐，〈日治時期霧峰林家的婚姻圈〉，《臺灣文獻》，62 卷 4 期，2011 年 12 月，頁 221 ～ 280。

28. 洪可均，〈《楊肇嘉回憶錄》中的虛與實一國家、民族與家庭情感的纏結〉，《臺灣史料研究》41，2013 年，頁

39～65。

29. 林振莖，〈嫁接民族運動與美術的橋樑：論楊肇嘉與臺灣
美術贊助〉，《臺灣美術》90 期，2012 年，頁 70～85。

30. 許雪姬，〈1937~1947 年在上海的臺灣人〉，《臺灣學研究》
13 期，2012 年 6 月，頁 1～29，頁 31。

31. 許雪姬，〈戰後上海的臺灣人團體及楊肇嘉的角色：兼論
其所涉入的「戰犯」案（1943～1947）〉，《興大歷史學
報》30 期，2016 年，頁 81～116。

32. 張炎憲訪問，張啟明訪問，陳鳳華訪問整理，〈六然居的
世界：媳婦心中的肇嘉先生〉，《臺灣史料研究》20 期，
2003 年，頁 178～201。

33. 陳傳興，〈登新高山紀念片：由楊肇嘉新高山之旅說起〉，
《臺灣史料研究》10 期，1997 年，頁 62～86。

34. 林銘章，〈楊肇嘉（1892～1976）〉，《傳記文學》63 期，
1993 年，頁 134～136。

35. 王一剛，〈故楊肇嘉先生生平事蹟〉，《臺灣風物》27 期，
1977 年，頁 22～24。陳少廷，〈「臺灣獅」的怒吼：談
楊肇嘉先生對抗日民族運動的貢獻〉，《中國論壇》2 期，

1976 年，頁 27～31。

36. 蘇全正，〈臺灣佛教與家族一以霧峰林家為中心之研究〉，嘉義縣：國立中正大學。歷史研究所博士學位論文，2011年。

37. 蘇全正，〈霧峰林家的女性學佛人－－以臺中靈山寺德真法師為例〉，《玄奘佛學研究：臺灣佛教史專輯》21 期，新竹市：玄奘大學，2014 年，頁 61～96。

38. 麥保春，〈楊肇嘉蓋棺論定〉，《展望》113 期，1976 年，頁 14～16。

39. 聯合報 1969 年 10 月 11 日，楊肇嘉捐建少年棒球場：台灣第一座私人捐贈的少年棒球場。

40. 〈大雪山林場的古往今來〉，林務局網頁，http://recreation.forest.gov.tw/RA/RA_2_1_1.aspx?Story_ID=0300003002，檢索日期：2018 年 9 月 10 日。

41. 〈楊肇嘉年表〉，中央研究院臺灣史研究所，http://tais.ith.sinica.edu.tw/sinicafrsFront/browsingLevel1.jsp?xmlId=0000272166，檢索日期：2018 年 9 月 10 日。

42. 〈六然居典藏史料〉，中央研究院臺灣史研究所臺灣

史檔案資源網，http://tais.ith.sinica.edu.tw/sinicafrsFront/browsingLevel1.jsp?xmlId=0000272166，檢索日期：2018 年 9 月 10 日。

43. 〈楊肇嘉〉，維基百科，https://zh.wikipedia.org，檢索日期：2018 年 9 月 10 日。

44. 歐素美／台中報導，〈清水國小日式宿舍楊肇嘉紀念館開幕〉，《自由時報》，http://news.ltn.com.tw/news/life/breakingnews/2359517，2018 年 3 月 8 日，檢索日期：2018 年 9 月 10 日。

45. 國立臺灣圖書館，日治時期期刊影像系統，http://stfj.ntl.edu.tw/cgi-bin/gs32/gsweb.cgi?o=dpjournal&s=id=%22jpli2009-pd-sxt_0705_55_v002n005-0003_no03_j%22.&searchmode=basic， 檢索日期：2018 年 8 月 27 日。

46. 楊肇嘉，〈嚴子陵〉，《詩報》第 122 期，基隆市：吟稿合刊詩報社，1936 年，頁 10。http://stfj.ntl.edu.tw/cgi-bin/gs32/gsweb.cgi?o=dpjournal&s=id=%22jpli2009-pd-sxt_0705_151_n122-0014_no14_c%22.&searchmode=basic，檢索日期：2018 年 8 月 27 日。

47. 楊肇嘉，〈論宜培植子弟〉，《臺灣教育會雜誌》第 190 期，臺北：臺灣教育會，1918 年，第 4 ～ 5 頁（漢文報）。http://stfj.ntl.edu.tw/cgi-bin/gs32/gsweb.cgi?o=dpjournal&s=id=%22jpli2007-pd-sxt_0705_6_n190-no38%22.&searchmode=basic，檢索日期：2018 年 8 月 27 日。

48. 楊肇嘉，〈送別基印先生〉，《臺灣教育會雜誌》第 191 期（漢文報），臺北：臺灣教育會，1918 年，頁 10。http://stfj.ntl.edu.tw/cgi-bin/gs32/gsweb.cgi?o=dpjournal&s=id=%22jpli2007-pd-sxt_0705_6_n191-no44%22.&searchmode=basic，檢索日期：2018 年 8 月 7 日。

49. 楊肇嘉，〈春日偶成〉，《臺灣教育會雜誌》第 192 期（漢文報），臺北：臺灣教育會，大正 7 年 6 月 1 日，頁 7。http://stfj.ntl.edu.tw/cgi-bin/gs32/gsweb.cgi?o=dpjournal&s=id=%22jpli2007-pd-sxt_0705_6_n192-no60%22.&searchmode=basic，檢索日期：2018 年 8 月 27 日。

50. 楊肇嘉，〈再步基印先生留別原韻〉，《臺灣教育會雜誌》第 192 期（漢文報），臺北：臺灣教育會，1918 年，頁 7。http://stfj.ntl.edu.tw/cgi-bin/gs32/gsweb.

cgi?o=dpjournal&s=id=%22jpli2007-pd-sxt_0705_6_n192-no61%22.&searchmode=basic，檢索日期：2018 年 8 月 27 日。

51. 〈全島米穀關係者大會記臺中市公會堂に於て〉，《臺灣米報》第 58 期，臺北市：臺灣正米市場組合、臺灣米穀移出商同業組合，1935 年 03 月 6 日，頁 2 ～ 4。http://stfj.ntl.edu.tw/cgi-bin/gs32/gsweb.cgi?o=dpjournal&s=id=%22jpli2008-pd-sxt_0705_32_y1935m02-004_no02_j%22.&searchmode=basic，檢索日期：2018 年 8 月 27 日。

52. 〈米穀自治管理案 - 反對の雄叫び東京に於て全國米業者大會臺灣は反對目的達成の為め業者臺灣神社に祈願〉，《臺灣米報》第 58 期，臺北市：臺灣正米市場組合、臺灣米穀移出商同業組合，1935 年 3 月 6 日，頁 4 ～ 5。

53. http://stfj.ntl.edu.tw/cgi-bin/gs32/gsweb.cgi?o=dpjournal&s=id=%22jpli2008-pd-sxt_0705_32_y1935m02-005_no03_j%22.&searchmode=basic，檢索日期：2018 年 8 月 27 日。

54. 〈上京委員會蘇泰山君の經過報告（一）〉，《臺灣米報》第

58 期，臺北市：臺灣正米市場組合、臺灣米穀移出商同業組合，1935 年 3 月 6 日， 頁 15。http://stfj.ntl.edu.tw/cgi-bin/gs32/gsweb.cgi?o=dpjournal&s=id=%22jpli2008-pd-sxt_0705_32_y1935m02-017_no15_j%22.&searchmode=basic，檢索日期：2018 年 8 月 27 日。

55. 楊肇嘉，〈米穀自治管理案反對理由〉，《臺灣米報》第59 期，臺北市：臺灣正米市場組合、臺灣米穀移出商同業組合，1935 年 4 月 8 日，頁 6 ～ 7。

56. http://stfj.ntl.edu.tw/cgi-bin/gs32/gsweb.cgi?o=dpjournal&s=id=%22jpli2008-pd-sxt_0705_32_y1935m03-008_no06_j%22.&searchmode=basic，檢索日期：2018 年 8 月 27 日。

57. 〈上京委員會蘇泰山君の經過報告（二）〉，《臺灣米報》第 59 期，臺北市：臺灣正米市場組合、臺灣米穀移出商同業組合，1935 年 4 月 8 日，頁 7 ～ 8。

58. http://stfj.ntl.edu.tw/cgi-bin/gs32/gsweb.cgi?o=dpjournal&s=id=%22jpli2008-pd-sxt_0705_32_y1935m03-009_no07_j%22.&searchmode=basic，檢索日期：2018 年 8 月 27 日。

59. 〈震災地踏破記篇〉,《臺灣警察時報》第236期,臺北市: 臺灣警察協會,1935 年 7 月 1 日,頁 84 ~ 101。

60. 鷲巢敦哉,〈臺灣警察の四十餘年を顧みて〉,《臺灣警察時報》第 257 期,臺北市:臺灣警察協會,1937 年 4 月 7 日, 頁 30 ~ 41。http://stfj.ntl.edu.tw/cgi-bin/gs32/gsweb. cgi?o=dpjournal&s=id=%22jpli2007-pd-sxt_0705_28_n257-013_no06_j%22.&searchmode=basic,檢索日期:2018 年 8 月 27 日。

61. 柴山武矩,〈震災あとがき〉,《社會事業の友》第 79 期, 臺北市:臺灣社會事業協會,1935 年 6 月 1 日,頁 74 ~ 82。

62. http://stfj.ntl.edu.tw/cgi-bin/gs32/gsweb. cgi?o=dpjournal&s=id=%22jpli2007-pd-sxt_0705_77_n079-019_no15_j-i%22.&searchmode=basic,檢索日期:2018 年 8 月 27 日。

63. 〈臺灣議會請願運動は中止に決す〉,《まこと》第 183 期, 臺北市:財團法人臺灣三成協會,1934 年 9 月 15 日,頁 4。

64. http://stfj.ntl.edu.tw/cgi-bin/gs32/gsweb.

cgi?o=dpjournal&s=id=%22jpli2008-pd-sxt_0705_153_n183-004_no04_6_j%22.&searchmode=basic，檢索日期：2018 年 8 月 27 日。

65. 〈墜落の現場に記念碑を建立〉，《まこと》第 188 期，臺北市：財團法人臺灣三成協會，1934 年 12 月 1 日，頁 9。

66. http://stfj.ntl.edu.tw/cgi-bin/gs32/gsweb.cgi?o=dpjournal&s=id=%22jpli2008-pd-sxt_0705_153_n188-009_no09_3_j%22.&searchmode=basic，檢索日期：2018 年 8 月 27 日。

67. 《臺灣文藝叢誌》暨及文人社群的作品集，http://lgaap.yuntech.edu.tw/literaturetaiwan/wenyi/main.html，檢索日期：2018 年 8 月 27 日。

68. 〈楊肇嘉照片（009_PH0010）〉，《數位典藏與數位學習聯合目錄》。http://catalog.digitalarchives.tw/item/00/45/c1/3c.html（2018 年 9 月 14 日瀏覽）。（國立暨南國際大學人類學研究所）。

寫在書後

林景淵

　　臺中市政府文化局連續三年，推出「臺中學」系列專書，就臺中地區人文、歷史、地理、建設等方面，選一個主題，以「深入淺出」並搭配照片、圖表來呈現的方式構成一本書，讓一般市民看得懂又喜歡看。這個大方向，我個人也十分贊同。

　　今年的系列中，承蒙文化局的厚愛，指定我和蘇全正博士負責來撰寫楊肇嘉的傳記。

　　楊肇嘉委實不像一個普通臺灣人，他的個性是見義勇為、擇善固執、樂於助人；這與一般臺灣人只顧自己，不敢惹事生非的性格完全不同，他一輩子努力推動「地方自治」長達數十年，所付出的精神無法計算。

　　如今重溫楊肇嘉的生平，讓我們深深感佩他為臺灣的付出。對這一位傑出的鄉賢，臺中地方似乎沒有給予應有的關注，甚至連「楊肇嘉」這個名字都很陌生。希望我們這一本書能讓臺灣人，尤其是中部人，重新對楊肇嘉產生較深的認識。

　　又，本書大部份內容係由蘇博士撰寫，特此聲明。

《劍膽琴心：跨越兩個時代的六然居士楊肇嘉》

作　　　者	蘇全正・林景淵
發　行　人	林佳龍
主　　　編	王志誠（路寒袖）
編 輯 委 員	施純福・黃名亨・楊懿珊・林敏棋・陳素秋・林承謨
執 行 編 輯	郭恬氳・陳兆華・錢麗芳・范秀情・蔡珮芸・洪國恩
	林俞君・張甯涵・張景森

出 版 單 位	臺中市政府文化局
地　　　址	臺中市西屯區臺灣大道三段 99 號惠中樓 8 樓
網　　　址	http://www.culture.taichung.gov.tw
電　　　話	04-2228-9111
展 售 處	五南書局／ 04-2226-0330 ／臺中市中區中山路 6 號
	國家書店松江門市／ 02-2518-0207 ／臺北市中山區松江路 209 號 1 樓

編 輯 製 作	遠景出版事業有限公司
負 責 人	葉麗晴
主　　　編	賴雯琪
執 行 編 輯	吳建衛
封 面 插 畫	鄭硯允
美 術 設 計	高仕宇
內 文 排 版	楊曜聰

地　　　址	新北市板橋區松柏街 65 號 5 樓
電　　　話	02-2254-2899
傳　　　真	02-2254-2136
劃 撥 戶 名	晴光文化出版有限公司
劃 撥 帳 號	19929057
總 經 銷	紅螞蟻圖書有限公司

初　　　版	中華民國 107 年 12 月
定　　　價	新臺幣 300 元
G P N	1010702357
I S B N	978-986-05-7868-3

國家圖書館出版品預行編目資料

劍膽琴心：跨越兩個時代的六然居士楊肇嘉／蘇全正，
　　林景淵著－初版－臺中市：中市文化局，
　　民 107.12　面；　公分．－（臺中學．
　　2018）

ISBN 978-986-05-7868-3（平裝）

733.9/115　　　　　　　　　　　107021659